력 GO!

GO! 매쓰

GO!

Run-C

수학 5-2

구성과 특징

1주차 교과 집중 학습

1 교과서 개념 완성

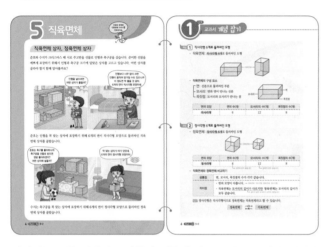

재미있는 수학 이야기로 단원에 대한 흥미를 높이고, 교과서 개념과 기본 문제를 학습합니다.

2 교과서 개념 PLAY

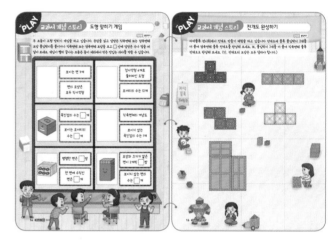

게임으로 개념을 학습하면서 집중력을 높여 쉽게 개념을 익히고 기본을 탄탄하게 만듭니다.

3 문제 풀이로 실력 & 자신감 UP!

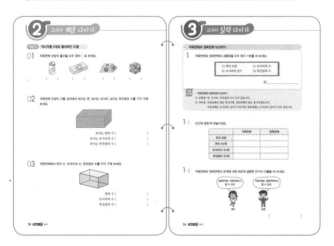

한 단계 더 나아간 교과서와 익힘 문제로 개념을 완성하고, 다양한 문제 유형으로 응용력을 키웁니다.

4 서술형 문제 풀이

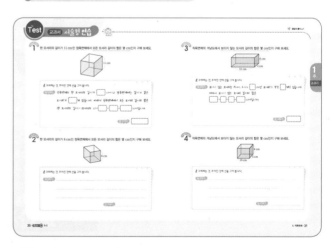

시험에 잘 나오는 서술형 문제 중심으로 단계별로 풀이하는 연습을 하여 서술하는 힘을 높여 줍니다.

사고력 확장 학습

1 사고력 PLAY

교과 심화 문제와 사고력 문제를 게임으로 쉽게 접근하여 어려운 문제에 대한 거부감을 낮추고 집중력을 높입니다.

2 교과 사고력 잡기

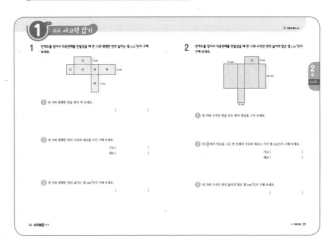

문제에 필요한 요소를 찾아 단계별로 해결하면서 문제 해결력을 키울 수 있는 힘을 기릅니다.

3 교과 사고력 확장+완성

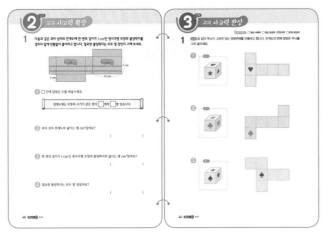

틀에서 벗어난 생각을 하여 문제를 해결하는 창의적 사고력을 기를 수 있는 힘을 기릅니다.

4 종합평가 / 특강

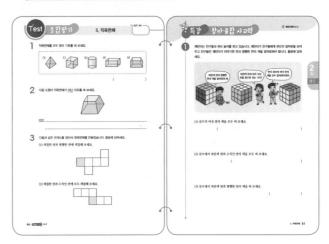

교과 학습과 사고력 학습을 얼마나 잘 이해하였는지 평가하여 배운 내용을 정리합니다.

5 직육면체

단원과 관련된
직육면체 이야기를
살펴보아요.

직육면체 상자, 정육면체 상자

준호와 수지가 크리스마스 때 서로 주고받을 선물로 인형과 축구공을 샀습니다. 준비한 선물을 예쁘게 포장하기 위해서 인형과 축구공 크기에 알맞은 상자를 고르고 있습니다. 어떤 상자를 골라야 할지 함께 알아볼까요?

준호는 인형을 꼭 맞는 상자에 포장하기 위해 6개의 면이 직사각형 모양으로 둘러싸인 직육면체 상자를 골랐습니다.

수지는 축구공을 꼭 맞는 상자에 포장하기 위해 6개의 면이 정사각형 모양으로 둘러싸인 정육면체 상자를 골랐습니다.

왼쪽 물건을 상자에 넣어 포장하려고 합니다. 알맞은 상자를 찾아 이어 보세요.

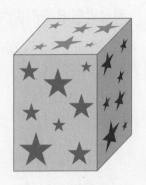

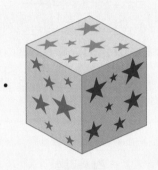

 각 상자의 앞면에 오른쪽 색종이를 붙여서 꾸미려고 합니다. 알맞은 색종이를 찾아 이어 보세요.

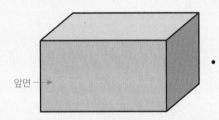

앞면 →

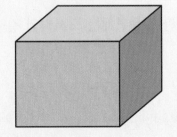

개념 1 직사각형 6개로 둘러싸인 도형

- **직육면체**: 직사각형 6개로 둘러싸인 도형

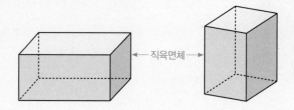

- **직육면체의 구성 요소**
  - **면**: 선분으로 둘러싸인 부분
  - **모서리**: 면과 면이 만나는 선분
  - **꼭짓점**: 모서리와 모서리가 만나는 점

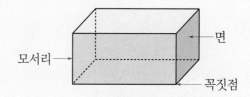

면의 모양	면의 수(개)	모서리의 수(개)	꼭짓점의 수(개)
직사각형	6	12	8

개념 2 정사각형 6개로 둘러싸인 도형

- **정육면체**: 정사각형 6개로 둘러싸인 도형

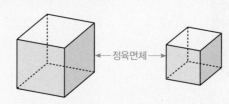

면의 모양	면의 수(개)	모서리의 수(개)	꼭짓점의 수(개)
정사각형	6	12	8

└→ 모양이 모두 같습니다. └→ 길이가 모두 같습니다.

- **직육면체와 정육면체 비교하기**

공통점	면, 모서리, 꼭짓점의 수가 각각 같습니다.
차이점	• 면의 모양이 다릅니다. ➡ 직육면체: 직사각형, 정육면체: 정사각형 • 직육면체는 모서리의 길이가 다르지만 정육면체는 모서리의 길이가 모두 같습니다. ➡ 길이가 같은 모서리가 4개씩 3쌍입니다.

참고 정사각형은 직사각형이므로 정육면체는 직육면체라고 할 수 있습니다.

정육면체 ⇄ 직육면체

개념 확인 문제

1-1 그림을 보고 ☐ 안에 알맞은 수나 말을 써넣으세요.

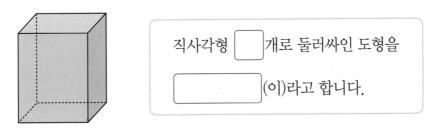

직사각형 ☐개로 둘러싸인 도형을

☐(이)라고 합니다.

1-2 ☐ 안에 직육면체의 각 부분의 이름을 알맞게 써넣으세요.

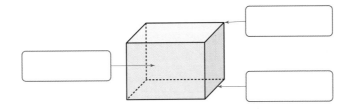

2-1 정육면체를 모두 찾아 ◯표 하세요.

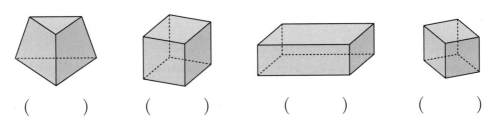

( )　　( )　　( )　　( )

2-2 정육면체를 보고 ☐ 안에 알맞은 수를 써넣으세요.

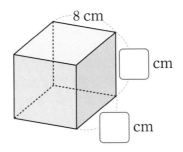

8 cm

☐ cm

☐ cm

개념 **3** 직육면체의 성질

- 직육면체의 **밑면**: 직육면체에서 색칠한 두 면처럼 계속 늘여도 만나지 않는 두 면

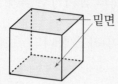  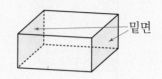

➡ 직육면체에는 평행한 면이 3쌍 있고 이 평행한 면은 각각 밑면이 될 수 있습니다.

- 직육면체의 **옆면**: 직육면체에서 밑면과 수직인 면

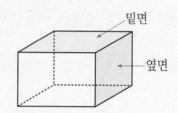

➡ 직육면체에서 한 면에 수직인 면은 4개입니다.

개념 **4** 직육면체의 겨냥도

- 직육면체의 **겨냥도**: 직육면체 모양을 잘 알 수 있도록 나타낸 그림

겨냥도는 보이는 모서리와 보이지 않는 모서리를 구분해서 나타내요.

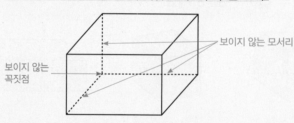

➡ 겨냥도에서 보이는 모서리는 실선으로, 보이지 않는 모서리는 점선으로 나타냅니다.

면의 수(개)		모서리의 수(개)		꼭짓점의 수(개)	
보이는 면	보이지 않는 면	보이는 모서리	보이지 않는 모서리	보이는 꼭짓점	보이지 않는 꼭짓점
3	3	9 → 실선	3 → 점선	7	1
	6개		12개		8개

참고 오른쪽 직육면체의 겨냥도에서 같은 색의 모서리는 길이가 같습니다.

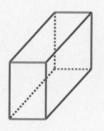

➡ 서로 평행한 모서리 4개는 길이가 같습니다.
↳ 길이가 같은 모서리가 4개씩 있습니다.

개념 확인 문제

3-1 직육면체에서 색칠한 면과 평행한 면을 찾아 색칠해 보세요.

(1)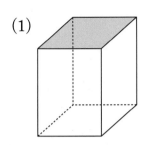

(2)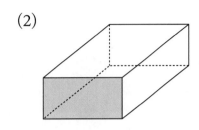

3-2 직육면체에서 색칠한 면이 한 밑면일 때 옆면을 모두 찾아 써 보세요.

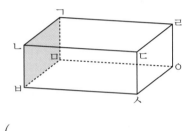

(   )

4-1 직육면체의 겨냥도를 보고 ☐ 안에 알맞은 말을 써넣으세요.

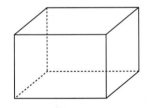

직육면체의 겨냥도를 그릴 때 보이는 모서리는 ☐ 으로,

보이지 않는 모서리는 ☐ 으로 그립니다.

4-2 직육면체에서 보이지 않는 모서리를 점선으로 그려 넣어 겨냥도를 완성해 보세요.

(1)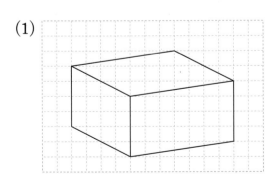

(2)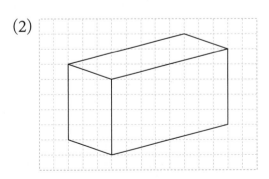

개념 5 정육면체의 전개도

• 정육면체의 **전개도**: 정육면체의 모서리를 잘라서 펼친 그림

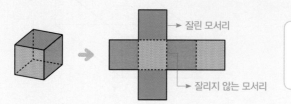

→ 잘린 모서리

→ 잘리지 않는 모서리

> 같은 색 면끼리 서로 평행합니다.
> 다른 색 면끼리 서로 수직입니다.

➡ 정육면체의 전개도에서 잘린 모서리는 실선으로, 잘리지 않는 모서리는 점선으로 표시합니다.

• 여러 가지 정육면체의 전개도

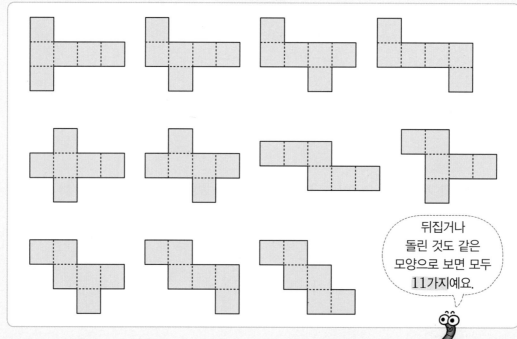

> 뒤집거나 돌린 것도 같은 모양으로 보면 모두 11가지예요.

➡ 자르는 방법에 따라 전개도의 모양은 여러 가지로 만들어집니다.

• 정육면체의 전개도의 특징

① 정사각형 6개로 이루어져 있습니다.

② 모든 모서리의 길이가 같습니다.

③ 접었을 때 서로 겹치는 부분이 없습니다.

④ 접었을 때 서로 마주 보며 평행한 면이 3쌍 있습니다.

⑤ 접었을 때 한 면과 수직인 면이 4개입니다.

⑥ 접었을 때 만나는 모서리의 길이가 같습니다.

개념 확인 문제

5-1 전개도를 접어서 정육면체를 만들었을 때 색칠한 면과 평행한 면에 색칠해 보세요.

(1)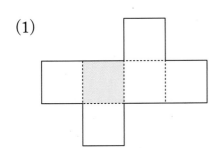

(2)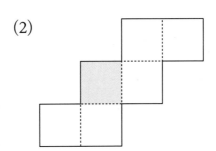

5-2 정육면체의 전개도를 바르게 그린 사람은 누구인지 써 보세요.

준우

서희

( )

5-3 정육면체의 전개도를 완성해 보세요.

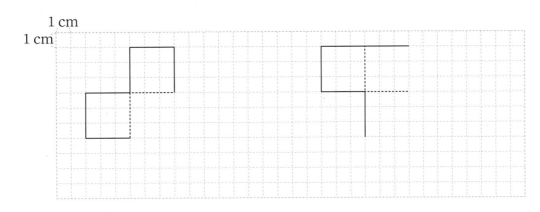

개념 **6** 직육면체의 전개도

- 직육면체의 **전개도**: 직육면체의 모서리를 잘라서 펼친 그림

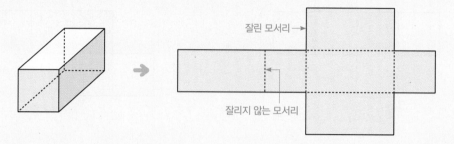

잘린 모서리 →

잘리지 않는 모서리

➡ 직육면체의 전개도에서 **잘린 모서리는 실선**으로, **잘리지 않는 모서리는 점선**으로 나타냅니다.

- 직육면체의 전개도 그리기

마주 보는 면이므로 모양과 크기가 같습니다.

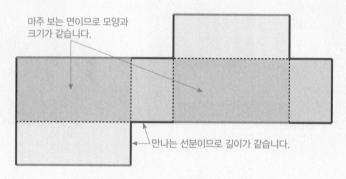

만나는 선분이므로 길이가 같습니다.

➡ 위 전개도를 접으면 ┌ 같은 색 선분끼리 만납니다.
　　　　　　　　　 ├ 같은 색 면끼리 서로 평행합니다.
　　　　　　　　　 └ 다른 색 면끼리 서로 수직입니다.

① 잘린 모서리는 실선으로, 잘리지 않는 모서리는 점선으로 그립니다.

② 서로 마주 보는 면은 모양과 크기가 같게 그립니다.

③ 서로 만나는 선분의 길이는 같게 그립니다.

직육면체의 전개도에는 모양과 크기가 같은 직사각형이 2개씩 3쌍 있어요.

- 직육면체의 전개도 찾기

① 면이 6개인지 확인합니다.

② 모양과 크기가 같은 면이 3쌍인지 확인합니다.

③ 전개도를 접었을 때 겹치는 면이 없는지 확인합니다.

④ 전개도를 접었을 때 만나는 모서리끼리 길이가 같은지 확인합니다.

개념 확인 문제

6-1 직육면체의 전개도를 보고 물음에 답하세요.

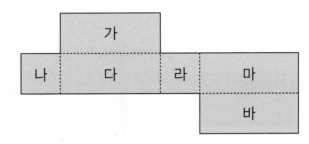

(1) 전개도를 접었을 때 면 가와 평행한 면을 찾아 써 보세요.

( )

(2) 전개도를 접었을 때 면 다와 수직인 면을 모두 찾아 써 보세요.

( )

6-2 직육면체의 전개도를 그린 것입니다. ☐ 안에 알맞은 수를 써넣으세요.

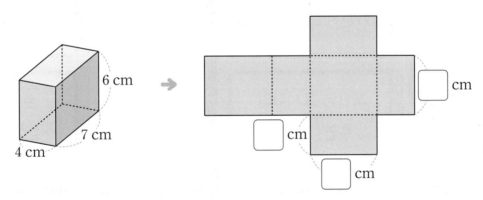

6-3 직육면체의 겨냥도를 보고 전개도를 완성해 보세요.

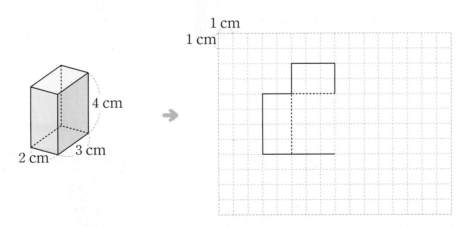

준비물 붙임딱지

두 모둠이 도형 맞히기 게임을 하고 있습니다. 문장을 읽고 알맞은 직육면체 또는 정육면체 모양 붙임딱지를 붙이거나 직육면체 또는 정육면체 모양을 보고 ☐ 안에 알맞은 수나 말을 써 넣어 보세요. 게임이 빨리 끝나는 모둠은 둥이 제과에서 만든 맛있는 과자를 먹을 수 있습니다.

보이는 면 3개

면의 모양은
모두 직사각형

정사각형 6개로
둘러싸인 도형

모서리의 수는 12개

꼭짓점의 수는 ☐개

보이는 모서리의
수는 ☐개

직육면체의 겨냥도

보이지 않는
꼭짓점의 수는 1개

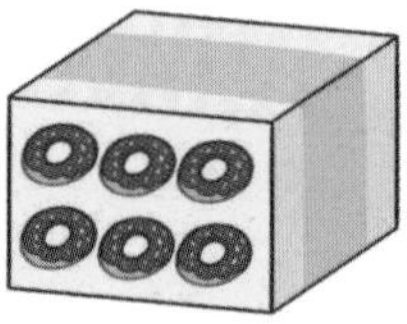

평행한 면은 ☐쌍

한 면에 수직인
면은 ☐개

모양과 크기가 같은
면이 2개씩 ☐쌍

보이지 않는 면의
수는 ☐개

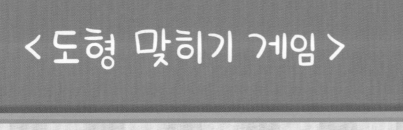

<도형 맞히기 게임>

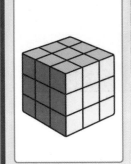

면의 모양은
모두 [　　　]

보이지 않는
모서리의 수는 [　] 개

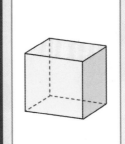

겨냥도는 보이지 않는
모서리는 [　] 으로,
보이는 모서리는
[　] 으로 그립니다.

직사각형 [　] 개로
둘러싸인 도형

보이는 꼭짓점의
수는 [　] 개

정육면체의 겨냥도

보이지 않는 꼭짓점의
수는 [　] 개

면의 수는 [　] 개

모서리의 수는
[　] 개

면의 모양은
모두 [　　　]

보이지 않는 면의
수는 [　] 개

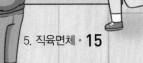

교과서 개념 스토리 · 전개도 완성하기

준비물 붙임딱지

자석블록 전시회에서 전개도 만들기 체험을 하고 있습니다 전개도에 블록 붙임딱지 2개를 더 붙여 정육면체 블록 전개도를 완성해 보세요. 또, 붙임딱지 3개를 더 붙여 직육면체 블록 전개도도 완성해 보세요. (단, 전개도의 모양은 모두 달라야 합니다.)

개념 1 직사각형 6개로 둘러싸인 도형

01 직육면체 모양의 물건을 모두 찾아 ○표 하세요.

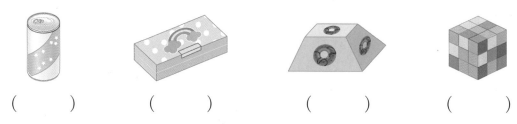

(   )   (   )   (   )   (   )

02 직육면체 모양의 선물 상자에서 보이는 면, 보이는 모서리, 보이는 꼭짓점의 수를 각각 구해 보세요.

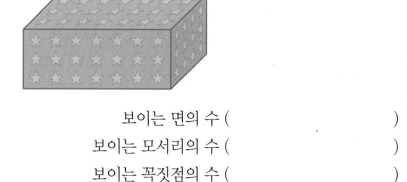

보이는 면의 수 (   )

보이는 모서리의 수 (   )

보이는 꼭짓점의 수 (   )

03 직육면체에서 면의 수, 모서리의 수, 꼭짓점의 수를 각각 구해 보세요.

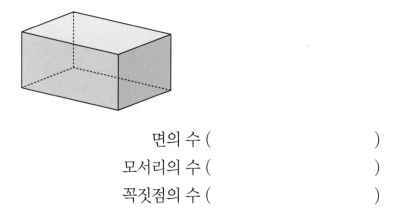

면의 수 (   )

모서리의 수 (   )

꼭짓점의 수 (   )

1
주
교과서

개념 2 정사각형 6개로 둘러싸인 도형

04 정육면체 모양의 케이크가 있습니다. 이 케이크의 면의 모양은 어떤 도형일까요?

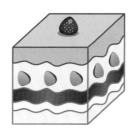

(   )

05 세 친구가 정육면체에 대하여 이야기하고 있습니다. ㉠+㉡+㉢의 값을 구해 보세요.

정육면체에서 면의 수는 ㉠개야.

정육면체에서 모서리의 수는 ㉡개야.

정육면체에서 꼭짓점의 수는 ㉢개야.

(   )

06 정육면체에 대한 설명으로 <u>틀린</u> 것을 모두 찾아 기호를 써 보세요.

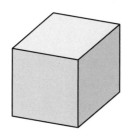

㉠ 정육면체에서 보이는 면은 3개입니다.

㉡ 정육면체에서 보이지 않는 꼭짓점은 4개입니다.

㉢ 정육면체는 모서리의 길이가 모두 같습니다.

㉣ 정육면체는 정사각형 8개로 둘러싸여 있습니다.

(   )

개념3 직육면체의 성질

07 직육면체에서 색칠한 두 면이 이루는 각의 크기는 몇 도일까요?

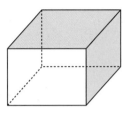

( )

08 직육면체에서 서로 평행한 면을 찾아 써 보세요.

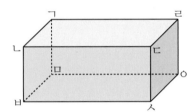

면 ㄱㄴㄷㄹ과 ( )
면 ㄱㄴㅂㅁ과 ( )
면 ㄴㅂㅅㄷ과 ( )

09 직육면체에서 면 ㄷㅅㅇㄹ과 수직인 면을 모두 찾아 써 보세요.

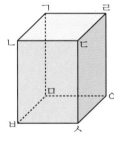

( )

10 직육면체에서 길이가 7 cm인 모서리는 모두 몇 개일까요?

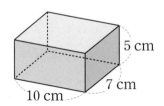

( )

개념 4 직육면체의 겨냥도

11 직육면체의 겨냥도를 바르게 그린 친구를 찾아 이름을 써 보세요.

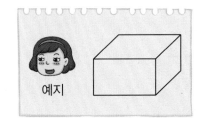
예지

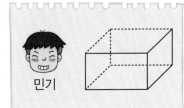
민기

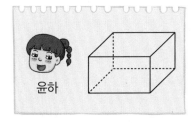
윤하

(   )

1
주
교과서

12 직육면체를 보고 빈칸에 알맞은 수를 써넣으세요.

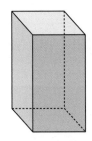

	보이는 부분	보이지 않는 부분
면의 수(개)		
모서리의 수(개)		
꼭짓점의 수(개)		

13 직육면체의 겨냥도를 잘못 그린 것입니다. 잘못 그린 이유를 써 보세요.

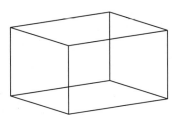

이유 _____

_____

단계 2 교과서 개념 다지기

개념 5   정육면체의 전개도

14 전개도를 접어서 정육면체를 만들었을 때 면 가와 수직인 면을 모두 찾아 써 보세요.

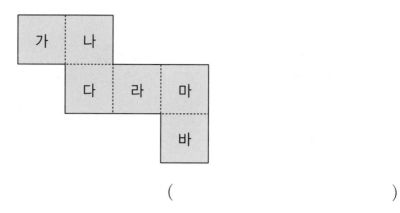

(   )

15 정육면체의 모서리를 잘라서 정육면체의 전개도를 만들었습니다. ☐ 안에 알맞은 기호를 써넣으세요.

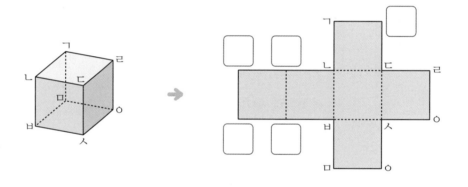

16 전개도를 접어서 주사위를 만들려고 합니다. 주사위에서 서로 평행한 두 면의 눈의 수의 합은 7입니다. 전개도의 빈 곳에 주사위의 눈을 알맞게 그려 넣으세요.

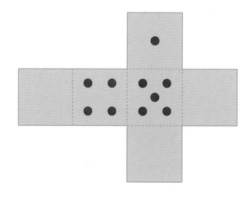

1 주

교과서

개념 6 **직육면체의 전개도**

17 직육면체의 전개도를 보고 주어진 선분과 겹쳐지는 선분을 찾아 써 보세요.

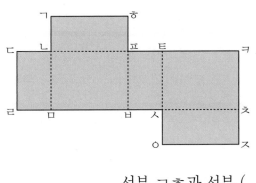

선분 ㄱㅎ과 선분 (   )

선분 ㄷㄹ과 선분 (   )

18 직육면체를 보고 전개도를 완성해 보세요.

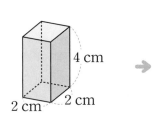 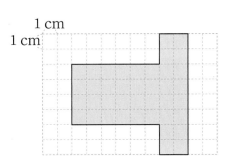

19 직육면체의 전개도를 <u>잘못</u> 그린 것입니다. 잘못 그린 이유를 써 보세요.

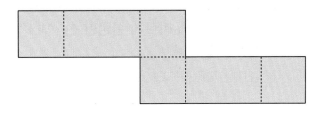

이유 _____

_____

⭐ **직육면체와 정육면체 비교하기**

1 직육면체와 정육면체의 공통점을 모두 찾아 기호를 써 보세요.

> ㉠ 면의 모양 ㉡ 모서리의 수
> ㉢ 모서리의 길이 ㉣ 꼭짓점의 수

답 _____

개념 피드백
• 직육면체와 정육면체 비교하기
① 공통점: 면, 모서리, 꼭짓점의 수가 각각 같습니다.
② 차이점: 직육면체의 면은 직사각형, 정육면체의 면은 정사각형입니다.
　　　　　직육면체는 모서리의 길이가 다르지만 정육면체는 모서리의 길이가 모두 같습니다.

1-1 빈칸에 알맞게 써넣으세요.

	직육면체	정육면체
면의 모양		
면의 수(개)		
모서리의 수(개)		
꼭짓점의 수(개)		

1-2 직육면체와 정육면체의 관계에 대해 바르게 설명한 친구의 이름을 써 보세요.

정육면체는 직육면체라고 할 수 있어.

직육면체는 정육면체라고 할 수 있어.

예지

강호

(　　　　　)

★ 보이는 부분과 보이지 않는 부분의 수 알아보기

2 오른쪽 직육면체에서 보이는 모서리와 보이지 않는 꼭짓점의 수의 합은 몇 개인지 구해 보세요.

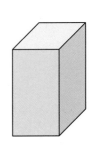

답 _____

개념 피드백
• 직육면체의 겨냥도에서 보이는 모서리는 실선으로, 보이지 않는 모서리는 점선으로 그립니다.
• 점선으로 그려진 세 모서리가 만나는 꼭짓점이 보이지 않는 꼭짓점입니다.

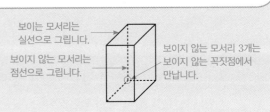

보이는 모서리는 실선으로 그립니다.
보이지 않는 모서리는 점선으로 그립니다.
보이지 않는 모서리 3개는 보이지 않는 꼭짓점에서 만납니다.

2-1 직육면체에서 보이는 면과 보이는 꼭짓점의 수의 합은 몇 개인지 구해 보세요.

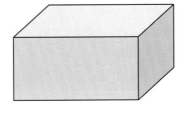

(   )

2-2 정육면체에서 보이지 않는 면과 보이지 않는 모서리의 수의 합은 몇 개인지 구해 보세요.

보이지 않는 모서리를 점선으로 그려 넣어 봐.

윤하

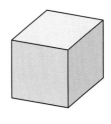

(   )

⭐ **전개도에서 만나는 부분 찾기**

3 전개도를 접어서 직육면체를 만들었을 때 점 ㄴ과 만나는 점을 모두 찾아 써 보세요.

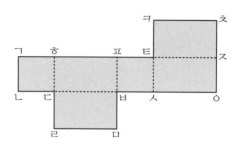

답 _____

개념 피드백
• 점선을 따라 전개도를 접은 모양을 생각해 봅니다.
• 만나는 점을 먼저 알아보면 만나는 선분도 쉽게 찾을 수 있습니다.

3-1 전개도를 접어서 직육면체를 만들었을 때 선분 ㄱㅎ과 만나는 선분을 찾아 써 보세요.

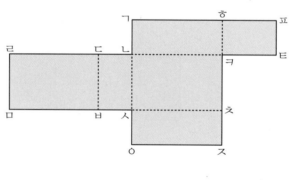

(   )

3-2 전개도를 접어서 정육면체를 만들었을 때 선분 ㅎㅍ과 만나는 선분을 찾아 써 보세요.

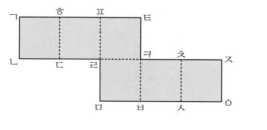

(   )

★ 모든 모서리 길이의 합 구하기

4 직육면체에서 모든 모서리 길이의 합은 몇 cm인지 구해 보세요.

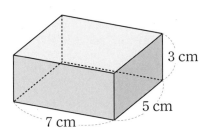

3 cm
5 cm
7 cm

답 _____

개념 피드백 직육면체에는 길이가 같은 모서리가 4개씩 3쌍 있습니다.

4-1 직육면체에서 모든 모서리 길이의 합은 몇 cm인지 구해 보세요.

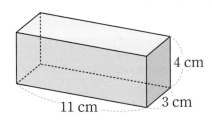

4 cm
11 cm
3 cm

( )

4-2 직육면체에서 모든 모서리 길이의 합은 몇 cm인지 구해 보세요.

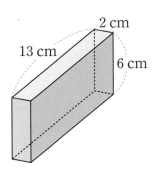

2 cm
13 cm
6 cm

( )

★ 한 모서리의 길이 구하기

5 오른쪽 정육면체 모양의 주사위에서 모든 모서리 길이의 합은 96 cm 입니다. 이 주사위에서 한 모서리의 길이는 몇 cm인지 구해 보세요.

답 _____

개념
피드백
• 정육면체에는 길이가 같은 모서리가 12개 있습니다.
• 직육면체에는 길이가 같은 모서리가 4개씩 3쌍 있습니다.

5-1 오른쪽 정육면체에서 보이는 모서리 길이의 합은 45 cm입니다. 이 정육면체에서 한 모서리의 길이는 몇 cm인지 구해 보세요.

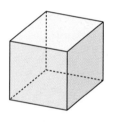

(   )

5-2 직육면체에서 모든 모서리 길이의 합은 92 cm입니다. ★에 알맞은 수를 구해 보세요.

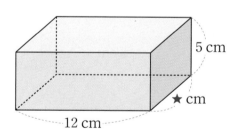

5 cm
★ cm
12 cm

(   )

★ 보이는 모서리 길이의 합 활용하기

6 오른쪽 직육면체 모양의 상자에서 보이는 모서리 길이의 합은 75 cm입니다. 이 상자에서 모든 모서리 길이의 합은 몇 cm인지 구해 보세요.

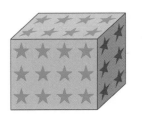

 답 _____

개념 피드백
- 직육면체에서 보이는 모서리에는 길이가 다른 모서리 3개가 각각 3개씩 있습니다.
- 직육면체에는 길이가 다른 모서리 3개가 각각 4개씩 있습니다.

6-1 오른쪽 직육면체 모양의 상자에서 보이는 모서리 길이의 합은 54 cm입니다. 이 상자에서 모든 모서리 길이의 합은 몇 cm인지 구해 보세요.

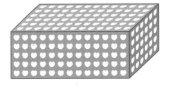

(   )

6-2 오른쪽 정육면체 모양의 상자에서 보이는 모서리 길이의 합은 90 cm 입니다. 이 상자에서 보이지 않는 모서리 길이의 합은 몇 cm인지 구해 보세요.

(   )

 1 한 모서리의 길이가 11 cm인 정육면체에서 모든 모서리 길이의 합은 몇 cm인지 구해 보세요.

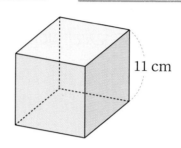

11 cm

✎ 구하려는 것, 주어진 것에 선을 그어 봅니다.

해결하기 정육면체의 한 모서리의 길이가 ☐ cm이고 정육면체에는 길이가 같은

모서리가 ☐ 개 있습니다. 따라서 정육면체에서 모든 모서리 길이의 합은

(한 모서리의 길이)×(모서리의 수)= ☐ × ☐ = ☐ (cm)입니다.

답 구하기 ☐

 2 한 모서리의 길이가 8 cm인 정육면체에서 모든 모서리 길이의 합은 몇 cm인지 구해 보세요.

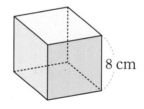

8 cm

✎ 구하려는 것, 주어진 것에 선을 그어 봅니다.

해결하기 _____

_____

_____

답 구하기 _____

직육면체의 겨냥도에서 보이지 않는 모서리 길이의 합은 몇 cm인지 구해 보세요.

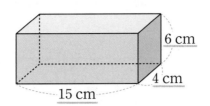

✎ 구하려는 것, 주어진 것에 선을 그어 봅니다.

해결하기 보이지 않는 모서리는 15 cm, 4 cm, ☐ cm인 모서리가 각각 ☐ 개씩 있습니다.

따라서 보이지 않는 모서리 길이의 합은

☐ + ☐ + ☐ = ☐ (cm)입니다.

답 구하기 ☐

 직육면체의 겨냥도에서 보이지 않는 모서리 길이의 합은 몇 cm인지 구해 보세요.

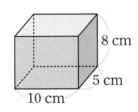

✎ 구하려는 것, 주어진 것에 선을 그어 봅니다.

해결하기 _____

_____

_____

답 구하기 _____

준비물 붙임딱지

등이 제과에서 맛있는 과자를 담을 직육면체 모양의 과자 상자를 만들고 있습니다. 상자의 두 면을 보고 크기가 다른 나머지 면으로 알맞은 붙임딱지를 붙여 보세요.

직육면체에는 모양과 크기가 같은 면이 2개씩 3쌍 있어요.

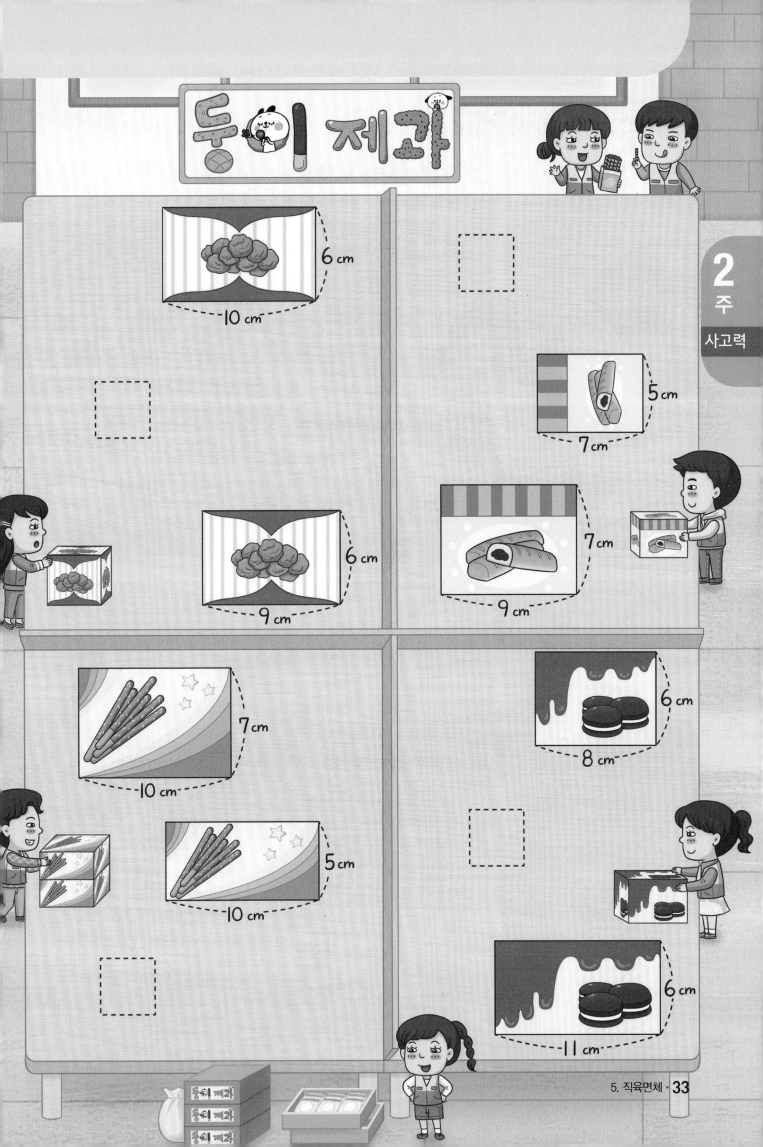

전개도 학습장

준비물 붙임딱지

전개도 체험학습장에서 미션이 시작되었습니다. 각 전개도의 그림에 맞게 정육면체에 알맞은 붙임딱지를 붙여 보세요. 미션이 완성될 때마다 미션 나무에 둥이 붙임딱지도 붙여 보세요.

정육면체의 각 면에 들어갈 모양을 찾을 때 방향은 생각하지 않아도 돼요.

미션나무

1 전개도를 접어서 직육면체를 만들었을 때 면 가와 평행한 면의 넓이는 몇 cm²인지 구해 보세요.

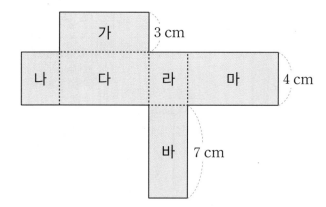

① 면 가와 평행한 면을 찾아 써 보세요.

(   )

② 면 가와 평행한 면의 가로와 세로를 각각 구해 보세요.

가로 (   )

세로 (   )

③ 면 가와 평행한 면의 넓이는 몇 cm²인지 구해 보세요.

(   )

2 전개도를 접어서 직육면체를 만들었을 때 면 가와 수직인 면의 넓이의 합은 몇 cm²인지 구해 보세요.

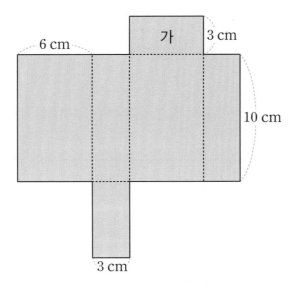

❶ 면 가와 수직인 면을 모두 찾아 빗금을 그어 보세요.

❷ 위 ❶에서 빗금을 그은 면 전체의 가로와 세로는 각각 몇 cm인지 구해 보세요.

가로 (   )

세로 (   )

❸ 면 가와 수직인 면의 넓이의 합은 몇 cm²인지 구해 보세요.

(   )

3 다음과 같은 직육면체 전개도의 둘레는 몇 cm인지 구해 보세요.

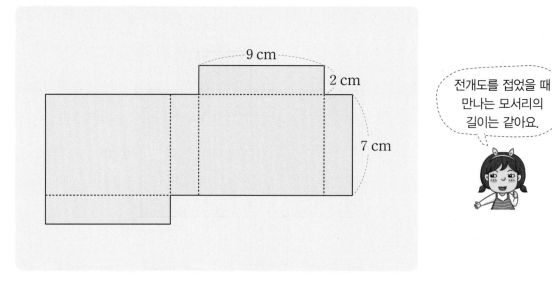

9 cm

2 cm

7 cm

전개도를 접었을 때 만나는 모서리의 길이는 같아요.

① 전개도의 둘레에 길이가 9 cm인 선분을 모두 ●로 표시하고 몇 개인지 써 보세요.

(   )

② 전개도의 둘레에 길이가 2 cm인 선분을 모두 ▲로 표시하고 몇 개인지 써 보세요.

(   )

③ 전개도의 둘레에 길이가 7 cm인 선분을 모두 ★로 표시하고 몇 개인지 써 보세요.

(   )

④ 직육면체 전개도의 둘레는 몇 cm인지 구해 보세요.

(   )

4 다음 전개도를 접어서 만들어지는 직육면체와 모서리 길이의 합이 같은 정육면체가 있습니다. 이 정육면체에서 한 모서리의 길이는 몇 cm인지 구해 보세요.

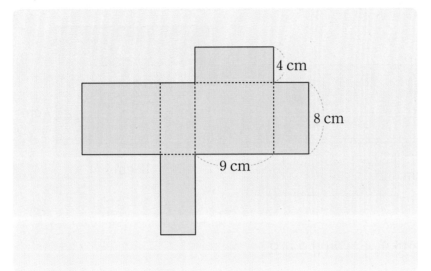

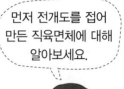

먼저 전개도를 접어 만든 직육면체에 대해 알아보세요.

2주
사고력

① 전개도를 접어서 만든 직육면체에는 길이가 4 cm, 8 cm, 9 cm인 모서리가 각각 몇 개인지 써 보세요.

길이가 4 cm인 모서리 (   )
길이가 8 cm인 모서리 (   )
길이가 9 cm인 모서리 (   )

② 직육면체에서 모든 모서리 길이의 합은 몇 cm일까요?

(   )

③ 정육면체에서 모든 모서리 길이의 합은 몇 cm일까요?

(   )

④ 정육면체에서 한 모서리의 길이는 몇 cm인지 구해 보세요.

(   )

1 다음과 같은 과자 상자의 전개도에 한 변의 길이가 1 cm인 정사각형 모양의 붙임딱지를 겹치지 않게 빈틈없이 붙이려고 합니다. 필요한 붙임딱지는 모두 몇 장인지 구해 보세요.

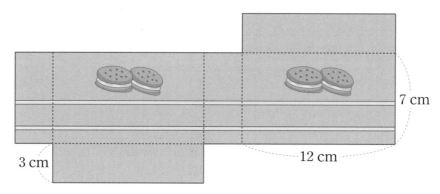

① □ 안에 알맞은 수를 써넣으세요.

전개도에는 모양과 크기가 같은 면이 □개씩 □쌍 있습니다.

② 과자 상자 전개도의 넓이는 몇 cm²일까요?

(   )

③ 한 변의 길이가 1 cm인 정사각형 모양의 붙임딱지의 넓이는 몇 cm²일까요?

(   )

④ 필요한 붙임딱지는 모두 몇 장일까요?

(   )

2 다음과 같이 뚜껑이 없는 과자 상자의 모서리 4개를 잘라 전개도를 만들려고 합니다. 만든 전개도의 둘레가 가장 짧게 되도록 잘랐을 때 전개도의 둘레는 몇 cm인지 구해 보세요.

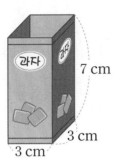

7 cm

3 cm

3 cm

전개도를 그렸을 때 직사각형의 수는 5개여야 해요.

현서

2
주
사고력

❶ ☐ 안에 알맞은 수를 써넣으세요.

전개도의 둘레가 가장 짧게 되도록 모서리 4개를 자르려면 길이가 7 cm인 모서리 ☐ 개와 길이가 3 cm인 모서리 ☐ 개를 잘라야 합니다.

❷ 둘레가 가장 짧게 되도록 잘랐을 때의 과자 상자의 전개도를 그려 보세요.

1 cm
1 cm

❸ ❷에서 그린 전개도의 둘레는 몇 cm인지 구해 보세요.

(   )

3 직육면체 모양의 상자를 그림과 같이 끈으로 묶었습니다. 상자를 묶는 데 사용한 끈의 길이는 모두 몇 cm인지 구해 보세요. (단, 매듭으로 사용한 끈의 길이는 17 cm입니다.)

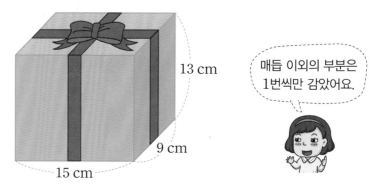

13 cm

9 cm

15 cm

매듭 이외의 부분은
1번씩만 감았어요.

① 길이가 15 cm인 모서리의 길이만큼씩 몇 번 사용하였을까요?

(   )

② 길이가 9 cm인 모서리의 길이만큼씩 몇 번 사용하였을까요?

(   )

③ 길이가 13 cm인 모서리의 길이만큼씩 몇 번 사용하였을까요?

(   )

④ 길이가 15 cm, 9 cm, 13 cm인 모서리의 길이만큼씩 사용한 끈의 길이는 모두 몇 cm일까요?

(   )

⑤ 상자를 묶는 데 사용한 끈의 길이는 모두 몇 cm일까요?

(   )

4 준우는 직육면체를 위와 앞에서 본 모양을 그렸고, 은주는 직육면체를 위와 옆에서 본 모양을 그렸습니다. 누가 본 직육면체의 모든 모서리 길이의 합이 몇 cm 더 긴지 구해 보세요.

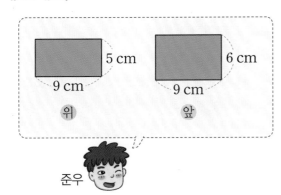
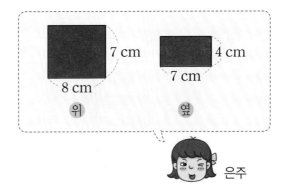

① 준우와 은주가 각각 본 직육면체의 겨냥도를 그리고, 모서리의 길이를 나타내어 보세요.

준우

1 cm 1 cm
1 cm

은주

1 cm 1 cm
1 cm

② 준우가 본 직육면체의 모든 모서리 길이의 합은 몇 cm일까요?

( )

③ 은주가 본 직육면체의 모든 모서리 길이의 합은 몇 cm일까요?

( )

④ 누가 본 직육면체의 모든 모서리 길이의 합이 몇 cm 더 길까요?

( ), ( )

2 주

사고력

평가 영역 ☐개념 이해력 ☐개념 응용력 ☑창의력 ☐문제 해결력

1 보기와 같이 무늬가 그려져 있는 정육면체를 만들려고 합니다. 전개도의 면에 알맞은 무늬를 그려 넣으세요.

① 보기

② 보기

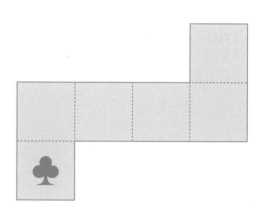

③ 보기

평가 영역 ☐개념 이해력 ☐개념 응용력 ☐창의력 ☑문제 해결력

2 왼쪽과 같이 직육면체의 면에 초록색 선을 그었습니다. 직육면체의 전개도를 완성하고 전개도에 선이 지나가는 자리를 그려 넣어 보세요.

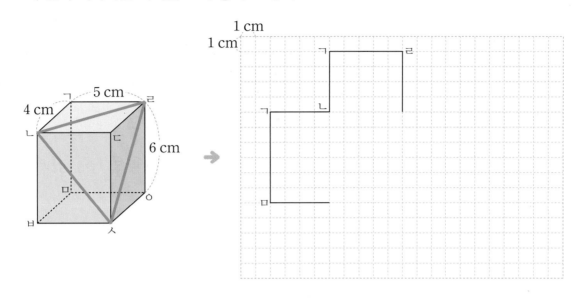

2
주
사고력

평가 영역 ☑개념 이해력 ☐개념 응용력 ☐창의력 ☐문제 해결력

3 오른쪽 직육면체의 전개도를 두 가지 방법으로 그려 보세요.

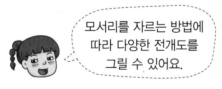

모서리를 자르는 방법에 따라 다양한 전개도를 그릴 수 있어요.

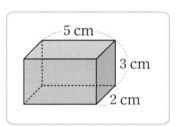

1 cm
1 cm

1 직육면체를 모두 찾아 기호를 써 보세요.

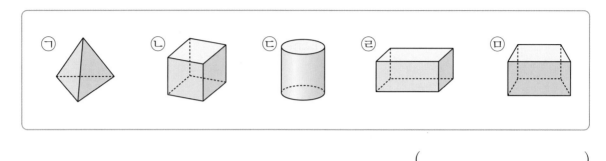

(   )

2 다음 도형이 직육면체가 <u>아닌</u> 이유를 써 보세요.

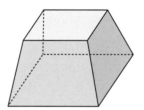

이유 _____

_____

3 다음과 같은 전개도를 접어서 정육면체를 만들었습니다. 물음에 답하세요.

(1) 색칠한 면과 평행한 면에 색칠해 보세요.

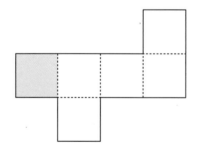

(2) 색칠한 면과 수직인 면에 모두 색칠해 보세요.

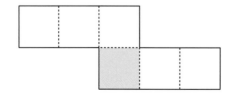

4 직육면체를 보고 면 ㄱㅁㅇㄹ과 수직인 면을 모두 찾아 써 보세요.

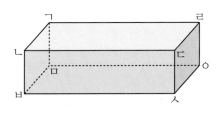

(   )

5 직육면체에서 ☐ 안에 알맞은 수를 써넣으세요.

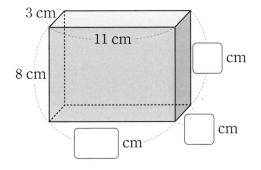

6 바르게 설명한 것을 모두 찾아 기호를 써 보세요.

> ㉠ 정육면체는 모든 면의 모양과 크기가 같습니다.
> ㉡ 직육면체의 면의 수는 정육면체의 모서리의 수보다 6만큼 작습니다.
> ㉢ 직육면체와 정육면체는 모서리의 길이가 모두 같습니다.

(   )

7 직육면체의 전개도를 접었을 때 선분 ㄱㄴ과 겹치는 선분을 찾아 써 보세요.

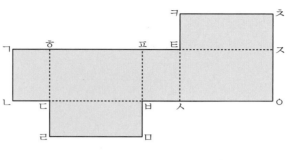

(   )

8 그림에서 빠진 부분을 그려 넣어 직육면체의 겨냥도를 완성해 보세요.

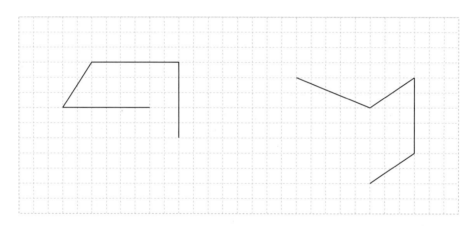

9 한 모서리의 길이가 7 cm인 정육면체에서 모든 모서리 길이의 합은 몇 cm일까요?

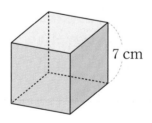

7 cm

(   )

10 직육면체에서 색칠한 면과 평행한 면의 네 변의 길이의 합은 몇 cm일까요?

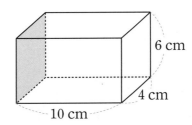

(   )

11 직육면체에서 보이는 모서리 길이의 합은 몇 cm일까요?

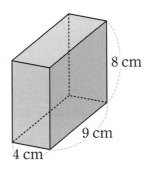

(   )

12 직육면체에서 모든 모서리 길이의 합은 몇 cm일까요?

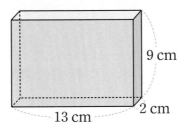

(   )

13 모든 모서리 길이의 합이 132 cm인 정육면체가 있습니다. 이 정육면체에서 한 모서리의 길이는 몇 cm일까요?

(   )

14 예지가 어떤 직육면체를 위와 옆에서 본 모양을 그린 것입니다. 이 직육면체에서 모든 모서리 길이의 합은 몇 cm일까요?

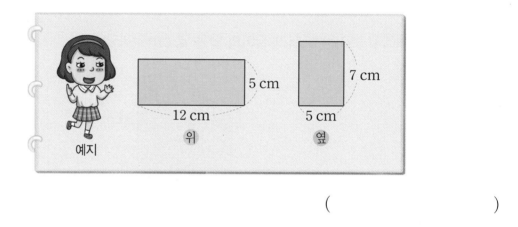

(   )

15 직육면체 모양의 상자를 그림과 같이 끈으로 묶었습니다. 직육면체의 전개도가 오른쪽과 같을 때, 끈이 지나가는 자리를 바르게 그려 넣으세요.

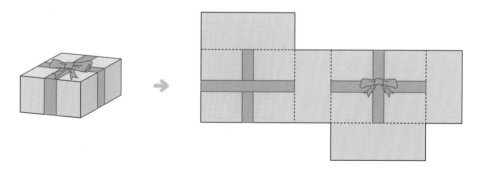

정답과 풀이 p.12

1

재민이는 친구들과 큐브 놀이를 하고 있습니다. 재민이가 친구들에게 큐브의 일부분을 보여 주고 친구들은 재민이가 이야기한 면과 평행한 면의 색을 알아맞혀야 합니다. 물음에 답하세요.

(1) 큐브의 여섯 면의 색을 모두 써 보세요.

(   )

(2) 큐브에서 파란색 면과 수직인 면의 색을 모두 써 보세요.

(   )

(3) 큐브에서 파란색 면과 평행한 면의 색을 써 보세요.

(   )

6 평균과 가능성

단원과 관련된
가능성 이야기를
살펴보아요.

일이 일어날 가능성

내일은 민지네 반이 현장 체험 학습을 가는 날입니다. 설레는 마음으로 어떤 간식을 가지고 갈까 생각하고 있던 민지는 선생님의 말씀을 듣고 고민에 빠졌습니다.

내일의 날씨를 예상해 보면 다음과 같이 4가지 경우로 나타낼 수 있습니다.

민지네 반 학생들이 현장 체험 학습을 갈 경우는 파란색으로, 가지 못할 경우는 빨간색으로 색칠해 보면 가능성은 각각 반이 나옵니다.

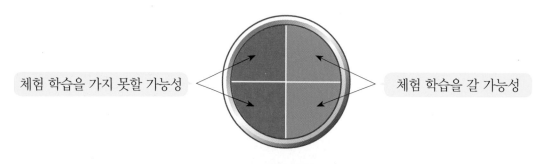

그럼 이번엔 '내일은 비가 올까?'에 대한 일이 일어날 가능성을 말로 표현해 볼까요?

이번 주는 계속 비가 왔기 때문에 내일도 비가 올 가능성은 확실해요.

오늘 날씨는 맑지만 일기 예보에서 내일 비가 올 가능성이 높다고 했으니까 내일 비가 올 가능성은 반반이에요.

오늘 날씨가 맑기 때문에 내일 비가 올 가능성은 불가능해요.

정우가 주머니에서 사탕을 하나 꺼내 먹으려고 합니다. 딸기 맛 사탕과 초콜릿 맛 사탕 중에서 초콜릿 맛 사탕을 먹을 가능성이 가장 높은 주머니를 찾아 기호를 써 보세요.

가　　　　　　　　나　　　　　　　　다

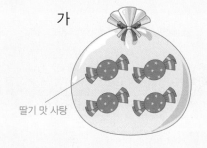

딸기 맛 사탕

초콜릿 맛 사탕

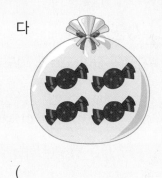

(　　　　　　　　)

민지네 모둠은 보라색과 초록색을 사용하여 회전판을 만들었습니다. 화살이 보라색에 멈출 가능성이 높은 회전판을 만든 학생부터 차례대로 이름을 써 보세요.

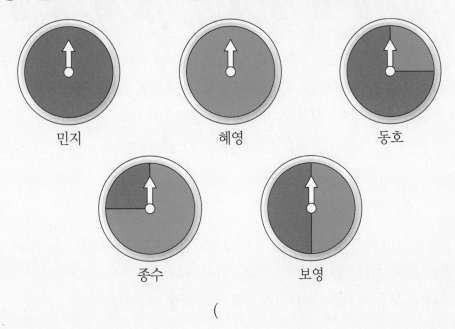

민지　　　　　　혜영　　　　　　동호

종수　　　　　　보영

(　　　　　　　　)

개념 1 평균 알아보기

- **평균**: 자료의 값을 모두 더해 자료의 수로 나눈 값 → 대표하는 값

학급별 안경을 쓴 학생 수

학급(반)	1	2	3	4	5
학생 수(명)	8	10	9	6	12

(전체 안경을 쓴 학생 수)=8+10+9+6+12=45(명)

(학급 수)=5

➡ 45÷5=9이므로 대표적으로 한 학급당 안경을 쓴 학생은 9명이라고 말할 수 있습니다.

> (평균)=(자료의 값을 모두 더한 수)÷(자료의 수)

개념 2 평균 구하기

- 자료의 값이 고르게 되도록 모형을 옮겨 평균 구하기

승민이네 모둠이 투호에 넣은 화살 수

이름	승민	나래	진호	가은
넣은 화살 수(개)	5	8	9	6

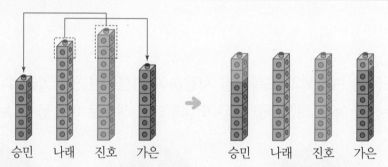

승민 나래 진호 가은   승민 나래 진호 가은

➡ 승민이네 모둠 친구들이 넣은 화살 수를 고르게 하면 7개가 되므로,
승민이네 모둠이 넣은 화살 수의 평균은 7개입니다.

- 자료의 값을 모두 더하고 자료의 수로 나누어 평균 구하기

희수네 모둠이 접은 종이배 수

이름	희수	민아	수재	경석	재형
접은 종이배 수(개)	26	35	42	29	38

(희수네 모둠이 접은 종이배 수의 합)=26+35+42+29+38=170(개)

└── 자료의 값을 모두 더한 수

(모둠원의 수)=5

➡ (희수네 모둠이 접은 종이배 수의 평균)=170÷5=34(개)

개념 확인 문제

1-1 자료의 값을 모두 더해 자료의 수로 나눈 값을 무엇이라고 할까요?

(   )

2-1 예서의 제기차기 기록을 나타낸 표입니다. ○를 옮겨 고르게 하여 제기차기 기록의 평균을 구해 보세요.

예서의 제기차기 기록

회	1회	2회	3회	4회
제기차기 기록(개)	2	5	3	6

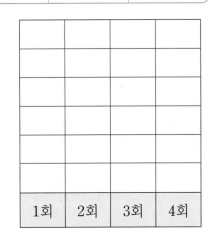

➡ 제기차기 기록의 평균은 ☐개입니다.

2-2 정호의 과목별 단원평가 점수를 나타낸 표입니다. 물음에 답하세요.

과목별 단원평가 점수

과목	국어	수학	사회	과학
점수(점)	86	90	88	92

(1) 과목별 단원평가 점수의 합은 몇 점일까요?   (   )

(2) 과목별 단원평가 점수의 평균은 몇 점일까요?   (   )

개념 **3** 평균 비교하기

모둠 친구 수와 모은 폐지 양

	모둠 1	모둠 2	모둠 3	모둠 4
모둠 친구 수(명)	5	7	6	9
모은 폐지 양(kg)	35	42	48	45

각 모둠의 친구 수가 다르니까 모은 폐지 양으로 비교할 수 없어요!

➡ 모둠별 1인당 모은 폐지 양을 비교하려면 모둠별 모은 폐지 양의 평균을 구합니다.

(모둠별 모은 폐지 양의 평균)=(모둠별 모은 폐지 양)÷(모둠 친구 수)

모은 폐지 양의 평균

	모둠 1	모둠 2	모둠 3	모둠 4
모은 폐지 양의 평균(kg)	7	6	8	5

↳ 35÷5 ↳ 42÷7 ↳ 48÷6 ↳ 45÷9

➡ 1인당 모은 폐지 양이 가장 많은 모둠은 평균이 가장 높은 <u>모둠 3</u>입니다.

개념 **4** 평균을 이용하여 문제 해결하기

영주네 모둠 몸무게의 평균이 48 kg일 때 혜영이의 몸무게 구하기

영주네 모둠의 몸무게

이름	영주	민재	승기	혜영
몸무게(kg)	49	47	50	

- (영주네 모둠의 몸무게의 합)=(영주네 모둠의 몸무게의 평균)×(모둠 친구 수)
  $$=48 \times 4 = 192 \text{ (kg)}$$

- (혜영이의 몸무게)=(영주네 모둠의 몸무게의 합)−(나머지 친구들의 몸무게의 합)
  ↳ 영주, 민재, 승기
  $$=192-(49+47+50)$$
  $$=192-146=46 \text{ (kg)}$$

평균을 알 때 모르는 자료의 값을 구하는 방법

(자료의 값을 모두 더한 수)=(평균)×(자료의 수)
➡ (모르는 자료의 값)=(자료의 값을 모두 더한 수)−(아는 자료의 값을 모두 더한 수)

개념 확인 문제

3-1 보미네 반의 모둠별 친구 수와 읽은 책 수를 나타낸 표입니다. 물음에 답하세요.

모둠 친구 수와 읽은 책 수

	모둠 1	모둠 2	모둠 3
모둠 친구 수(명)	4	3	6
읽은 책 수(권)	32	27	42

(1) 각 모둠별 읽은 책 수의 평균을 구하여 표를 완성해 보세요.

읽은 책 수의 평균

	모둠 1	모둠 2	모둠 3
읽은 책 수의 평균(권)			

(2) 1인당 읽은 책 수가 가장 많은 모둠은 어느 모둠일까요?

( )

4-1 호준이네 학교 5학년 반별 학생 수를 나타낸 표입니다. 5학년 반별 학생 수의 평균이 29명일 때 물음에 답하세요.

5학년 반별 학생 수

반	1반	2반	3반	4반
학생 수(명)	32	28		29

(1) 5학년 반별 학생 수의 합은 몇 명일까요?

( )

(2) 3반 학생은 몇 명일까요?

( )

개념 5 일이 일어날 가능성을 말로 표현하기

· **가능성**: 어떠한 상황에서 특정한 일이 일어나길 기대할 수 있는 정도

➡ 가능성의 정도는 불가능하다, ~아닐 것 같다, 반반이다, ~일 것 같다, 확실하다 등으로 표현할 수 있습니다.

일 \ 가능성	불가능 하다	~아닐 것 같다	반반 이다	~일 것 같다	확실 하다
내일은 해가 동쪽에서 뜰 것입니다.					○
동전을 던졌을 때 숫자 면이 나올 것입니다.			○		
주사위를 굴렸을 때 눈의 수가 6보다 큰 수가 나올 것입니다.	○				

개념 6 일이 일어날 가능성 비교하기

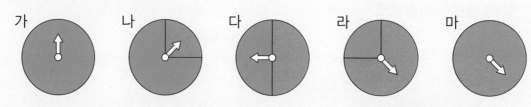

	화살이 초록색에 멈출 가능성	화살이 주황색에 멈출 가능성
가	확실하다	불가능하다
나	~일 것 같다	~아닐 것 같다
다	반반이다	반반이다
라	~아닐 것 같다	~일 것 같다
마	불가능하다	확실하다

· 화살이 초록색에 멈출 가능성이 높은 순서: 가 ― 나 ― 다 ― 라 ― 마
· 화살이 주황색에 멈출 가능성이 높은 순서: 마 ― 라 ― 다 ― 나 ― 가

개념 확인 문제

5-1 일이 일어날 가능성을 생각해 보고, 알맞게 표현한 곳에 ○표 하세요.

일　　　　　　　　가능성	불가능 하다	~아닐 것 같다	반반 이다	~일 것 같다	확실 하다
6월 최저 기온은 영하 4도일 것 같습니다.					
주사위를 굴렸을 때 눈의 수가 4의 약수로 나올 것입니다.					
오늘이 월요일이면 내일은 화요일일 것입니다.					
고리를 한꺼번에 5개 던지면 4개가 걸릴 것입니다.					
노란색 구슬 8개, 파란색 구슬 2개가 들어 있는 주머니에서 꺼낸 구슬은 노란색일 것입니다.					

6-1 승기, 가은, 혜주, 민수, 주영이는 빨간색과 파란색을 사용하여 각각 회전판을 만들었습니다. 물음에 답하세요.

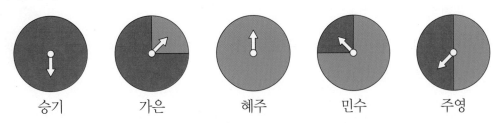

승기　　　가은　　　혜주　　　민수　　　주영

(1) 화살이 파란색에 멈추는 것이 불가능한 회전판은 누가 만든 회전판일까요?

(　　　　　　　　　)

(2) 화살이 파란색에 멈출 가능성과 빨간색에 멈출 가능성이 비슷한 회전판은 누가 만든 회전판일까요?

(　　　　　　　　　)

개념 7 일이 일어날 가능성을 수로 표현하기

가능성의 정도에 따라 수로 나타낼 수 있습니다.

| 불가능하다 ➡ 0 | 반반이다 ➡ $\frac{1}{2}$ | 확실하다 ➡ 1 |

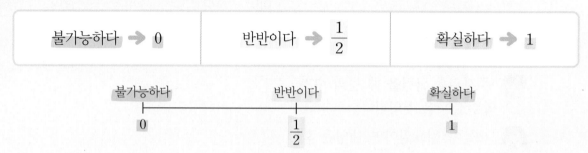

```
불가능하다          반반이다          확실하다
    0               1/2               1
```

- 회전판을 돌렸을 때 화살이 빨간색에 멈출 가능성을 수로 표현하기

일			
가능성을 말로 표현하기	확실하다	반반이다	불가능하다
가능성을 수로 표현하기	1	$\frac{1}{2}$	0

- 흰색 바둑돌 1개와 검은색 바둑돌 1개가 들어 있는 주머니에서 바둑돌 1개를 꺼냈을 때의 가능성을 수로 표현하기

① 꺼낸 바둑돌이 흰색 바둑돌일 가능성은 '반반이다'이고 수로 표현하면 $\frac{1}{2}$입니다.

② 꺼낸 바둑돌이 노란색 바둑돌일 가능성은 '불가능하다'이고 수로 표현하면 0입니다.

- 500원짜리 동전 1개와 100원짜리 동전 1개가 주머니 속에 있을 때의 가능성을 수로 표현하기

① 500원짜리 동전이 주머니 속에 있을 가능성은 '확실하다'이고 수로 표현하면 1입니다.

② 10원짜리 동전이 주머니 속에 있을 가능성은 '불가능하다'이고 수로 표현하면 0입니다.

500원   100원

참고 • ~아닐 것 같다 ➡ 0보다 크고 $\frac{1}{2}$보다 작은 수로 표현할 수 있습니다.

• ~일 것 같다 ➡ $\frac{1}{2}$보다 크고 1보다 작은 수로 표현할 수 있습니다.

개념 확인 문제

7-1 보라색 공 1개와 초록색 공 1개가 들어 있는 상자에서 공 한 개를 꺼냈습니다. 물음에 답하세요.

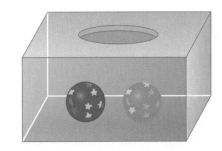

(1) 꺼낸 공이 보라색일 가능성을 수직선에 ↓로 나타내어 보세요.

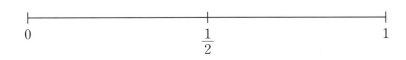

0          $\frac{1}{2}$ 1

(2) 꺼낸 공이 파란색일 가능성을 말과 수로 표현해 보세요.

말 (   )

수 (   )

(3) 꺼낸 공이 초록색일 가능성을 수로 표현해 보세요.

(   )

7-2 일이 일어날 가능성을 수로 표현한 것을 찾아 이어 보세요.

3과 5의 합은 15가 될 것입니다. ·	 · 1
동전을 던졌을 때 그림면이 나올 것입니다. ·	· $\frac{1}{2}$
주사위를 굴렸을 때 눈의 수가 6 이하의 자연수가 나올 것입니다. ·	· 0

교과서 개념 스토리   딸기잼 만들기

준비물 붙임딱지

딸기 농장에서 딴 딸기로 딸기잼을 만들려고 합니다. 바구니에 담은 딸기 수의 평균이 적힌 딸기잼 붙임딱지를 붙여 보세요.

딸기잼 만들기 코스 ♥

(평균)=(30+35+28)÷3=93÷3=31

26 20
30 32

평균

19 29
37 43

평균

32 25
24 23

평균

41 36
30 33

평균

준비물 붙임딱지

할로윈데이에 할로윈 복장을 한 아이들에게 사탕을 나누어 주고 있습니다. 꼬마 마법사는 아이들이 마차에서 사탕을 1개 꺼낼 때 꺼낸 사탕이 둥이 사탕일 가능성을 말하고 있습니다. 마법사가 말한 가능성에 알맞게 마차에 사탕 붙임딱지를 붙이고, 수직선에 🎃를 붙여 보세요. (단, 마차 안에 들어 있는 사탕은 6개씩입니다.)

불가능하다

~일 것 같다

반반이다

~아닐 것 같다

확실하다

자유롭게 정하여 가능성을 말로
써넣고 마차에는 사탕 붙임딱지를,
수직선에는 🐾를 붙여 보세요.

개념1 평균 알아보기, 평균 구하기

01 접시에 담긴 딸기 수를 모두 더한 값 24를 접시의 수 4로 나눈 수는 6입니다. 대표적으로 한 접시당 딸기는 몇 개 담겨 있다고 말할 수 있을까요?

( )

02 시형이가 5일 동안 먹은 아몬드 수를 나타낸 표입니다. 물음에 답하세요.

5일 동안 먹은 아몬드 수

요일	월	화	수	목	금
먹은 아몬드 수(개)	7	9	11	6	12

(1) 시형이가 5일 동안 먹은 아몬드 수의 합은 몇 개일까요?

( )

(2) 시형이가 5일 동안 먹은 아몬드 수의 평균은 몇 개일까요?

( )

03 주희네 모둠 학생들이 모은 칭찬 붙임딱지 수를 나타낸 표입니다. 주희네 모둠의 칭찬 붙임 딱지 수의 평균은 몇 장일까요?

주희네 모둠의 칭찬 붙임딱지 수

이름	주희	보영	준호	명철
칭찬 붙임딱지 수(장)	31	27	29	25

( )

개념2 여러 가지 방법으로 평균 구하기

04 지우가 월별로 운동을 한 횟수를 나타낸 표를 보고 운동을 한 횟수만큼 ○를 그려 나타내었습니다. ○를 옮겨 고르게 하여 운동을 한 횟수의 평균을 구해 보세요.

월별로 운동을 한 횟수

월	8월	9월	10월	11월
횟수(번)	6	7	4	3

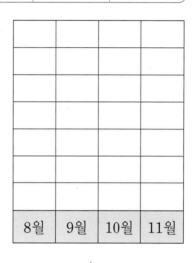

(   )

05 진수네 모둠의 윗몸 말아 올리기 기록을 나타낸 표를 보고 평균을 여러 가지 방법으로 구해 보세요.

진수네 모둠의 윗몸 말아 올리기 기록

이름	진수	혜영	채연	동진
윗몸 말아 올리기 기록(회)	40	34	30	24

방법 1 각 자료의 값을 고르게 하여 평균 구하기

_____

_____

방법 2 자료의 값을 모두 더한 후 자료의 수로 나누어 평균 구하기

_____

_____

개념3 평균을 이용하여 문제 해결하기

06 민지가 하루에 공부한 시간의 평균이 70분일 때 7월 한 달 동안 공부한 시간은 모두 몇 분인지 구해 보세요. (단, 7월 한 달 동안 하루도 빠지지 않고 공부했습니다.)

(   )

07 호준이네 마을의 과수원별 사과 생산량을 나타낸 표입니다. 과수원별 사과 생산량의 평균이 253 kg일 때 나 과수원의 사과 생산량은 몇 kg인지 구해 보세요.

과수원별 사과 생산량

과수원	가	나	다	라
생산량(kg)	128		257	287

(   )

08 혜주네 반 학생들의 모둠별 턱걸이 기록을 나타낸 표입니다. 1인당 턱걸이 수가 많은 모둠부터 차례로 써 보세요.

모둠별 턱걸이 기록

모둠	모둠 1	모둠 2	모둠 3
모둠 친구 수(명)	7	6	8
턱걸이 기록(개)	56	54	56

(   )

개념 4 일이 일어날 가능성을 말로 표현하기

09 일이 일어날 가능성을 찾아 이어 보세요.

한 명의 아이가 태어날 때 남자 아이일 가능성 •

12월이 30일까지 있을 가능성 •

5와 7을 곱하면 35가 될 가능성 •

• 불가능하다

• 반반이다

• 확실하다

10 일이 일어날 가능성이 확실한 것을 찾아 기호를 써 보세요.

> ㉠ 해가 서쪽에서 뜰 것입니다.
> ㉡ 금요일 다음에 토요일이 올 것입니다.
> ㉢ 주사위를 굴려서 나온 눈의 수가 홀수일 것입니다.

( )

11 4장의 수 카드 중에서 한 장을 뽑을 때 수 카드의 수가 2의 배수일 가능성을 말로 표현해 보세요.

( )

개념 5 일이 일어날 가능성 비교하기

12 화살이 빨간색에 멈출 가능성이 가장 높은 회전판을 찾아 기호를 써 보세요.

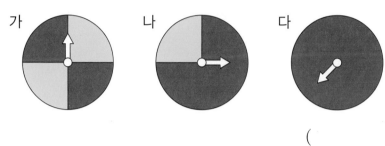

(　　　　　)

13 화살이 초록색에 멈출 가능성이 낮은 회전판부터 차례대로 기호를 써 보세요.

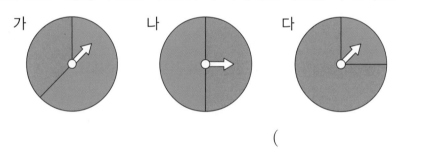

(　　　　　)

14 동전 한 개를 던져서 숫자 면이 나올 가능성과 회전판을 돌릴 때 화살이 파란색에 멈출 가능성이 같은 회전판을 만든 사람은 누구인지 써 보세요.

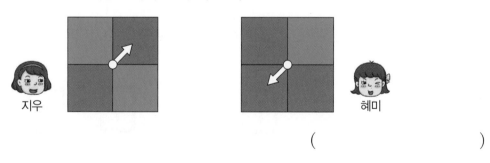

(　　　　　)

개념 6 **일이 일어날 가능성을 수로 표현하기**

15 회전판을 돌릴 때 화살이 주황색에 멈출 가능성을 수로 표현하려고 합니다. ☐ 안에 알맞은 수를 써넣으세요.

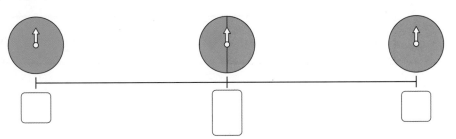

16 일이 일어날 가능성을 수로 표현해 보세요.

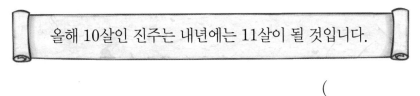

올해 10살인 진주는 내년에는 11살이 될 것입니다.

(   )

17 주머니 속에 왼쪽과 같이 구슬이 들어 있습니다. 주머니에서 구슬 한 개를 꺼낼 때 파란색 구슬일 가능성을 찾아 이어 보세요.

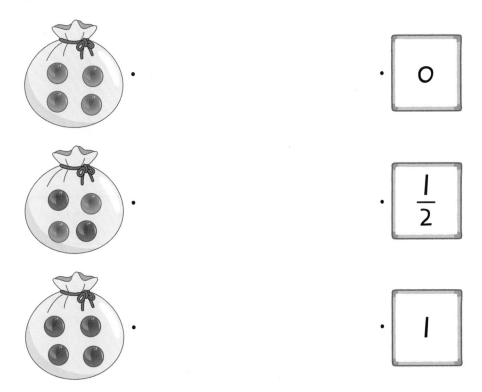

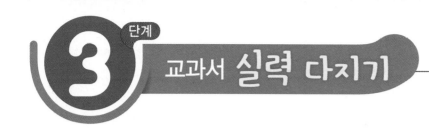

★ 평균을 이용하여 모르는 자료의 값 구하기

1 주어진 6개 수의 평균이 6일 때, ♥에 알맞은 수를 구해 보세요.

7   5   ♥   9   3   5

답 _____

> **개념 피드백**
> • 평균을 이용하여 모르는 자료의 값 구하기
> ① (전체 자료의 값을 모두 더한 수)＝(평균)×(자료의 수)
> ② (모르는 자료의 값)＝(전체 자료의 값을 모두 더한 수)－(아는 자료의 값을 모두 더한 수)

1-1 주어진 7개 수의 평균이 9일 때, ★에 알맞은 수를 구해 보세요.

11   4   6   ★   7   13   10

(   )

1-2 주어진 5개 수의 평균이 34일 때, ♣에 알맞은 수를 구해 보세요.

36   ♣   29   40   31

(   )

★ 일이 일어날 가능성 비교하기

2 일이 일어날 가능성이 더 높은 것을 말한 친구의 이름을 써 보세요.

예지 주사위를 굴리면 주사위 눈의 수가 2 이상으로 나올 것입니다.

현서 ○× 문제에서 문제의 정답이 ○일 것입니다.

답 _____

개념 피드백
• 일이 일어날 가능성 비교하기
  일이 일어날 가능성에 대한 판단이 논리적인 경우에는 옳은 것으로 인정해 줍니다.
• 일이 일어날 가능성이 높은 순서

확실하다 → ~일 것 같다 → 반반이다 → ~아닐 것 같다 → 불가능하다

2-1 일이 일어날 가능성이 낮은 것부터 차례대로 기호를 써 보세요.

ㄱ 초록색 공 5개가 들어 있는 주머니에서 공 1개를 꺼낼 때 꺼낸 공이 노란색일 것입니다.
ㄴ 내일은 해가 동쪽에서 뜰 것입니다.
ㄷ 내년 6월에는 올해 6월보다 비가 많이 올 것입니다.

( )

2-2 일이 일어날 가능성이 높은 것부터 차례대로 기호를 써 보세요.

ㄱ 흰색 바둑돌만 들어 있는 상자에서 바둑돌 1개를 꺼낼 때 꺼낸 바둑돌이 흰색일 것입니다.
ㄴ 1부터 10까지 쓰여 있는 수 카드 10장 중에서 1장을 뽑으면 2의 배수일 것입니다.
ㄷ 빨간색 공 4개, 파란색 공 2개가 들어 있는 주머니에서 공 1개를 꺼낼 때 꺼낸 공이 빨간색일 것입니다.

( )

★ 자료의 값과 평균 비교하기

3 재민이네 마을의 과수원별 포도 생산량을 나타낸 표입니다. 포도 생산량이 평균보다 많은 과수원을 모두 찾아 기호를 써 보세요.

과수원별 포도 생산량

과수원	가	나	다	라
생산량(kg)	144	167	150	135

답 _____

자료의 값과 평균 비교하기
• (자료의 값) > (평균) ➡ 자료의 값이 평균보다 많은 편, 큰 편, 높은 편입니다.
• (자료의 값) < (평균) ➡ 자료의 값이 평균보다 적은 편, 작은 편, 낮은 편입니다.

3-1 명호네 모둠의 국어 점수를 나타낸 표입니다. 평균보다 점수가 낮은 학생은 재시험을 본다고 합니다. 재시험을 보는 학생의 이름을 모두 써 보세요.

명호네 모둠의 국어 점수

이름	명호	재희	나래	가영
점수(점)	85	88	87	84

( )

3-2 윤아네 모둠의 타자 기록을 나타낸 표입니다. 평균보다 타수가 많은 학생은 상급반으로 올라갈 수 있습니다. 상급반으로 올라가는 학생의 이름을 모두 써 보세요.

윤아네 모둠의 타자 기록

이름	윤아	혜수	동진	영훈
기록(타)	395	388	391	386

( )

★ 평균으로 자료 값의 합 구하기

4 가은이네 반 학생은 34명입니다. 가은이네 반 학생들이 가지고 있는 동화책 수의 평균이 8권일 때, 가은이네 반 학생들이 가지고 있는 동화책 수는 모두 몇 권일까요?

답 _____

**개념
피드백**

(평균)=(자료의 값을 모두 더한 수)÷(자료의 수)

➡ (자료의 값을 모두 더한 수)=(평균)×(자료의 수)

4-1 어느 블로그의 하루 방문객 수의 평균은 112명입니다. 일주일 동안 이 블로그에 방문한 사람 수는 모두 몇 명일까요?

( )

블로그란 보통사람들이 자신의 관심사에 따라 자유롭게 글을 올릴 수 있는 웹사이트예요.

4-2 어느 해 11월 한 달 동안 최고 기온의 평균이 9 ℃였습니다. 이 해의 11월 한 달 동안 최고 기온의 합은 몇 ℃일까요?

( )

4-3 어느 공장에서 냉장고를 하루 평균 97대씩 만든다고 합니다. 이 공장에서 11월과 12월 두 달 동안 쉬지 않고 냉장고를 만든다면 모두 몇 대의 냉장고를 만들 수 있을까요?

( )

★ **자료의 수가 늘어났을 때의 전체 평균 구하기**

5 어느 도넛 가게에서 월요일부터 토요일까지 도넛이 하루 평균 48개 팔렸다고 합니다. 일요일에 도넛이 69개 팔렸다면 일주일 동안 도넛 판매량은 하루 평균 몇 개일까요?

답 _____

개념 피드백
① 월요일부터 토요일까지의 도넛 판매량의 합을 구합니다.
② ①에서 구한 자료 값의 합에 일요일의 도넛 판매량을 더한 후 자료의 수로 나누어 전체 평균을 구합니다.

5-1 정민이의 국어, 수학, 사회 점수의 평균은 82점입니다. 과학 점수는 90점이라면 네 과목의 점수의 평균은 몇 점일까요?

( )

5-2 주영, 홍렬, 민정, 지훈 네 사람의 몸무게의 평균은 51 kg입니다. 지민이의 몸무게는 46 kg이라면 다섯 사람의 몸무게의 평균은 몇 kg일까요?

( )

5-3 서준이가 월요일부터 금요일까지 5일 동안 컴퓨터를 하루 평균 37분 사용했습니다. 토요일에 컴퓨터를 31분 사용했다면 6일 동안 컴퓨터를 사용한 시간은 하루 평균 몇 분일까요?

( )

★ **조건에 알맞게 회전판 색칠하기**

6 조건 에 알맞은 회전판이 되도록 색칠해 보세요. (단, 경계선에 멈추는 경우는 생각하지 않습니다.)

조건

- 화살이 빨간색에 멈출 가능성이 가장 높습니다.
- 화살이 파란색에 멈출 가능성은 노란색에 멈출 가능성의 3배입니다.

개념
피드백
- 가능성이 가장 높은 색이 회전판에서 가장 넓은 곳입니다.
- 가능성이 가장 낮은 색이 회전판에서 가장 좁은 곳입니다.

6-1 조건 에 알맞은 회전판이 되도록 색칠해 보세요. (단, 경계선에 멈추는 경우는 생각하지 않습니다.)

조건

- 화살이 노란색에 멈출 가능성이 가장 높습니다.
- 화살이 빨간색에 멈출 가능성은 파란색에 멈출 가능성의 2배입니다.

서술형 연습
1 혜수의 과목별 단원평가 점수를 나타낸 표입니다. 혜수의 단원평가 점수의 평균이 89점일 때 단원평가 점수가 가장 높은 과목은 무엇인지 써 보세요.

과목별 단원평가 점수

과목	국어	수학	사회	과학
점수(점)	90	88		86

✏️ 구하려는 것, 주어진 것에 선을 그어 봅니다.

해결하기 (네 과목의 단원평가 점수의 합) = ⬜ × ⬜ = ⬜ (점)

(사회 단원평가 점수) = ⬜ − (⬜ + ⬜ + ⬜) = ⬜ (점)

따라서 단원평가 점수가 가장 높은 과목은 ⬜ 입니다.

답 구하기 ⬜

서술형 실전
2 승기네 모둠의 공 던지기 기록을 나타낸 표입니다. 승기네 모둠의 공 던지기 기록의 평균이 22 m일 때, 공 던지기 기록이 가장 낮은 사람은 누구인지 써 보세요.

승기네 모둠의 공 던지기 기록

이름	승기	나영	은수	민철
기록(m)	25		20	22

✏️ 구하려는 것, 주어진 것에 선을 그어 봅니다.

해결하기

답 구하기

3 4장의 수 카드 중에서 한 장을 뽑을 때 수 카드의 수가 홀수일 가능성을 수로 표현해 보세요.

$$\boxed{0} \quad \boxed{1} \quad \boxed{3} \quad \boxed{4}$$

해결하기 4장의 수 카드 중 수 카드의 수가 홀수인 경우는 ☐, ☐ 으로 ☐ 가지입니다.

따라서 뽑은 수 카드의 수가 홀수일 가능성은 '☐' 이고 수로 표

현하면 ☐ 입니다.

답 구하기 ☐

4 4장의 수 카드 중에서 한 장을 뽑을 때 수 카드의 수가 짝수일 가능성을 수로 표현해 보세요.

$$\boxed{2} \quad \boxed{4} \quad \boxed{6} \quad \boxed{8}$$

해결하기

답 구하기

마라톤 경기가 열리고 있습니다. 각 선수들의 옷에 1시간 동안 달린 거리의 평균을 나타내는 수가 적힌 붙임딱지를 붙여 보세요. 또, 같은 길 위를 달리는 두 선수 중 평균이 더 높은 선수의 붙임딱지를 포토 존에 붙여 보세요.

 준비물 붙임딱지

3시간 동안 36 km를 달리고 있어.

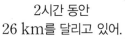

2시간 동안 26 km를 달리고 있어.

2시간 동안 30 km를 달리고 있어.

4시간 동안 56 km를 달리고 있어.

준비물 ● 붙임딱지

같은 수만큼 구슬이 들어 있는 두 유리 볼 안에서 각각 구슬을 한 개 꺼낼 때 꺼낸 구슬이 초록색일 가능성의 크기를 비교하여 나타낸 것을 보고 유리 볼 안에 구슬 붙임딱지를 알맞게 붙여 보세요. (단, 유리 볼 안에 모두 같은 색 구슬이 들어 있는 경우는 없습니다.)

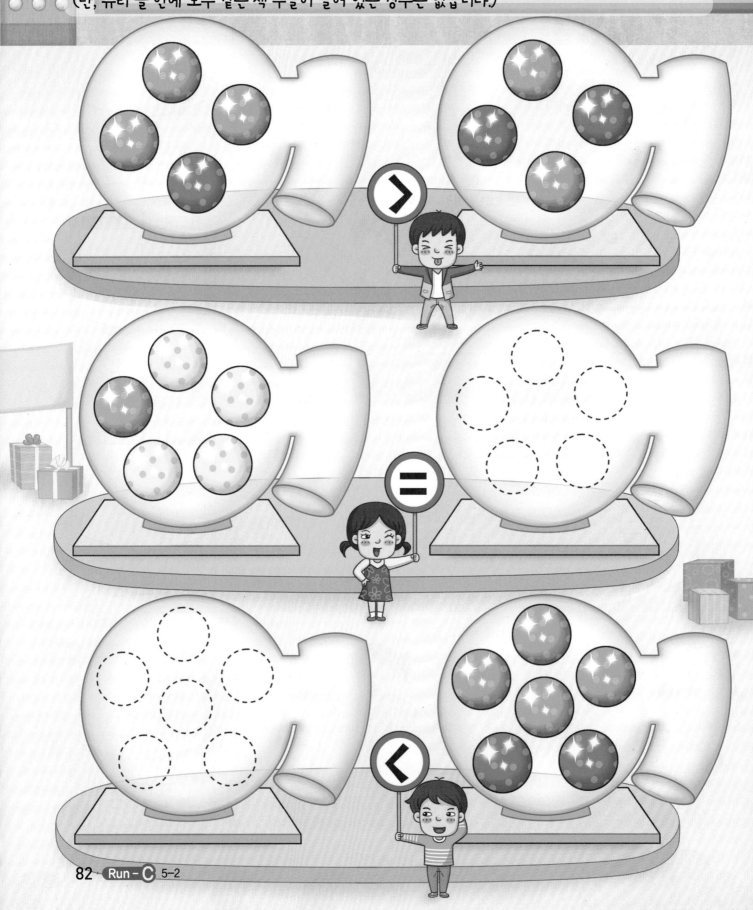

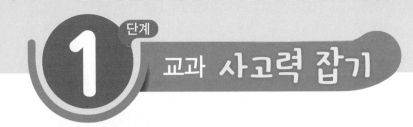

1 준영이네 반 남학생과 여학생의 키의 평균을 나타낸 표입니다. 준영이네 반 전체 학생들의 키의 평균은 몇 cm인지 구해 보세요.

키의 평균

| 남학생 14명 키의 평균 | 147 cm |
| 여학생 16명 키의 평균 | 132 cm |

1 남학생 14명의 키의 합은 몇 cm일까요?

(   )

2 여학생 16명의 키의 합은 몇 cm일까요?

(   )

3 준영이네 반 전체 학생들의 키의 평균은 몇 cm일까요?

(   )

2 3장의 수 카드 중에서 2장을 골라 한 번씩만 사용하여 두 자리 수를 만들었습니다. 만든 두 자리 수가 5의 배수일 가능성을 수로 표현해 보세요.

만들 수 있는 두 자리 수가 5의 배수일 가능성을 수로 표현하는 문제예요.

4
주

사고력

❶ 수 카드로 만들 수 있는 두 자리 수를 모두 써 보세요.

(   )

❷ □ 안에 알맞은 수를 써넣고 ❶에서 만든 두 자리 수 중에서 5의 배수는 몇 개인지 구해 보세요.

5의 배수는 일의 자리 숫자가 □ 또는 □입니다.

(   )

❸ 만든 두 자리 수가 5의 배수일 가능성을 수로 표현해 보세요.

(   )

3 다음은 지원이의 단원평가 점수를 입력한 성적표입니다. 잘못 입력하여 사회 점수의 십의 자리 숫자와 일의 자리 숫자가 바뀌었습니다. 원래의 단원평가 점수의 평균은 잘못 입력한 단원평가 점수의 평균보다 몇 점 더 높은지 구해 보세요.

단원평가 점수

지원

과목	국어	수학	사회	과학
점수(점)	90	94	48	76

① 잘못 입력한 성적표에서 단원평가 점수의 평균은 몇 점일까요?

( )

② 원래의 사회 단원평가 점수는 몇 점일까요?

( )

③ 원래의 단원평가 점수의 평균은 몇 점일까요?

( )

④ 원래의 단원평가 점수의 평균은 잘못 입력한 단원평가 점수의 평균보다 몇 점 더 높을까요?

( )

4 친구들이 주사위 놀이를 하고 있습니다. 1부터 6까지의 눈이 그려진 주사위를 한 번 굴
릴 때 일이 일어날 가능성이 높은 것을 말한 친구부터 차례대로 이름을 써 보세요.

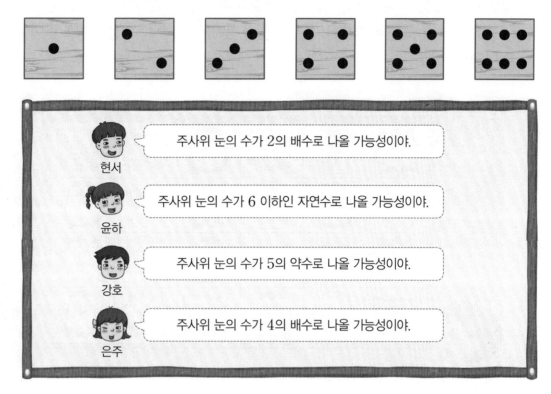

현서: 주사위 눈의 수가 2의 배수로 나올 가능성이야.

윤하: 주사위 눈의 수가 6 이하인 자연수로 나올 가능성이야.

강호: 주사위 눈의 수가 5의 약수로 나올 가능성이야.

은주: 주사위 눈의 수가 4의 배수로 나올 가능성이야.

① 현서가 말한 일이 일어날 가능성을 수로 표현해 보세요.

( )

② 윤하가 말한 일이 일어날 가능성을 수로 표현해 보세요.

( )

③ 강호가 말한 일이 일어날 가능성을 수로 표현해 보세요.

( )

④ 은주가 말한 일이 일어날 가능성을 수로 표현해 보세요.

( )

⑤ 일이 일어날 가능성이 높은 것을 말한 친구부터 차례대로 이름을 써 보세요.

( )

1 준서는 놀이공원에서 그림 맞히기 게임을 하고 있습니다. 그림 맞히기 게임에서는 공을 던졌을 때 맞힌 그림에 있는 물건을 상품으로 준다고 합니다. 준서가 펭귄 인형을 맞힐 가능성을 수로 표현해 보세요. (단, 그림을 맞히지 못하거나 경계선에 맞히는 경우는 없습니다.)

❶ 그림판에 있는 그림은 모두 몇 개일까요?

(   )

❷ 펭귄 인형이 있는 그림은 몇 개일까요?

(   )

❸ 준서가 펭귄 인형을 맞힐 가능성을 수로 표현해 보세요.

(   )

2 4명의 친구들이 각자 회전판을 100회 돌려 화살이 멈춘 횟수를 표로 나타내었습니다. 빨간색, 노란색, 파란색으로 이루어진 회전판과 일이 일어날 가능성이 가장 비슷한 표를 만든 친구를 찾아 이름을 써 보세요.

4
주
사고력

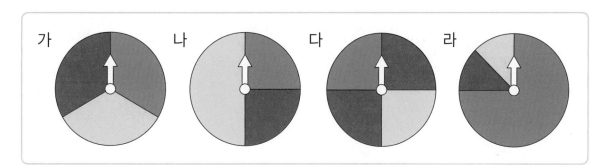

	색깔	빨강	노랑	파랑
현서	횟수(회)	12	13	75

	색깔	빨강	노랑	파랑
예지	횟수(회)	33	34	33

	색깔	빨강	노랑	파랑
강호	횟수(회)	26	50	24

	색깔	빨강	노랑	파랑
윤하	횟수(회)	49	25	26

1 회전판 가와 일이 일어날 가능성이 가장 비슷한 표를 만든 친구의 이름을 써 보세요.

( )

2 회전판 나와 일이 일어날 가능성이 가장 비슷한 표를 만든 친구의 이름을 써 보세요.

( )

3 회전판 다와 일이 일어날 가능성이 가장 비슷한 표를 만든 친구의 이름을 써 보세요.

( )

4 회전판 라와 일이 일어날 가능성이 가장 비슷한 표를 만든 친구의 이름을 써 보세요.

( )

3 영진이네 모둠의 윗몸 말아 올리기 기록을 나타낸 표입니다. 모둠에 학생 한 명이 새로 들어와서 윗몸 말아 올리기 기록의 평균이 1회 늘어났습니다. 새로 들어온 학생의 윗몸 말아 올리기 기록은 몇 회인지 구해 보세요.

영진이네 모둠의 윗몸 말아 올리기 기록

이름	영진	승희	민재	민준
기록(회)	31	29	25	39

우리 모둠에 한 명 더 들어와서 평균이 1회 늘어났어.

< 즐거운 체육시간 >

❶ 처음 영진이네 모둠 4명의 윗몸 말아 올리기 기록의 평균은 몇 회일까요?

( )

❷ 모둠에 학생 한 명이 새로 들어와서 기록의 평균이 1회 늘어났습니다. 윗몸 말아 올리기 기록의 합은 몇 회 더 늘어났을까요?

( )

❸ 새로 들어온 학생의 윗몸 말아 올리기 기록은 몇 회일까요?

( )

4 그림과 같이 한 변의 길이가 1 cm인 정사각형 ㄱㄴㄷㄹ이 있습니다. 주사위를 한 번 굴릴 때 나온 주사위 눈의 수만큼 ★ 모양이 점 ㄱ에서 출발하여 시계 반대 방향으로 변을 따라 한 칸씩 움직입니다. ★ 모양이 점 ㄱ에서 출발하여 점 ㄷ에 멈출 가능성을 수로 표현해 보세요.

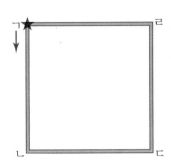

주사위 눈의 수가 1이면 점 ㄱ에서 점 ㄴ까지 한 칸을, 눈의 수가 2이면 점 ㄱ에서 점 ㄷ까지 두 칸을 움직이면 돼요.

4
주

사고력

1 주사위를 한 번 굴릴 때 나올 수 있는 눈의 수는 몇 가지일까요?

( )

2 ★ 모양이 점 ㄱ에서 출발하여 점 ㄷ에 멈추려면 주사위 눈의 수는 얼마여야 하는지 모두 써 보세요.

( )

3 **2**에서 구한 눈이 나올 수 있는 경우는 몇 가지일까요?

( )

4 ★ 모양이 점 ㄱ에서 출발하여 점 ㄷ에 멈출 가능성을 수로 표현해 보세요.

( )

평가 영역 ☑개념 이해력 ☐개념 응용력 ☐창의력 ☐문제 해결력

1 보기와 같이 주어진 자연수의 평균을 구해 보세요.

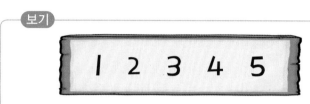

보기

| 1 | 2 | 3 | 4 | 5 |

(자연수의 합)=1+2+3+4+5=6×2+3=15

→ (평균)=15÷5=3

합이 같도록 두 수씩 짝 지어
자연수를 모두 더한 후
자연수의 개수로 나누면
평균을 구할 수 있어요.

❶

| 1 | 2 | 3 | 4 | 5 | 6 | 7 | 8 | 9 |

(   )

❷

| 1 | 3 | 5 | 7 | 9 | 11 | 13 | 15 |

(   )

❸

| 2 | 4 | 6 | 8 | 10 | 12 | 14 | 16 | 18 | 20 |

(   )

2 다음 카드 중에서 한 장을 뽑을 때 주어진 카드를 뽑을 가능성을 수로 표현해 보세요.

❶

뽑은 카드

(   )

❷

뽑은 카드

(   )

❸

뽑은 카드

(   )

1 주영이가 9월부터 12월까지 학교 도서관을 이용하고 받은 칭찬 도장 수만큼 ○를 그려 나타낸 그래프입니다. ○를 옮겨 칭찬 도장 수를 고르게 하고 칭찬 도장 수의 평균은 몇 개인지 구해 보세요.

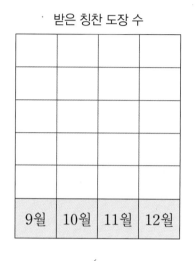

받은 칭찬 도장 수

받은 칭찬 도장 수

( )

2 일이 일어날 가능성을 찾아 알맞게 ○표 하세요.

일 　　　　　　　　　　　가능성	불가능하다	반반이다	확실하다
계산기로 8 − 3 = 을 누르면 5가 나올 것입니다.			
○× 문제에서 ×라고 답했을 때, 정답일 것입니다.			
내일은 해가 남쪽으로 질 것입니다.			

3 일이 일어날 가능성을 수로 표현해 보세요.

주사위를 한 번 굴릴 때 눈의 수가 4의 약수로 나올 가능성

( )

4 당첨 제비만 4개 들어 있는 제비뽑기 상자에서 제비 한 개를 뽑았습니다. 일이 일어날 가능성을 잘못 말한 친구는 누구일까요?

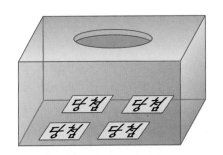

뽑은 제비가 당첨 제비일 가능성을 수로 표현하면 1이에요.

준우

뽑은 제비가 당첨 제비일 가능성을 말로 표현하면 '확실하다'예요.

예지

뽑은 제비가 당첨 제비가 아닐 가능성을 수로 표현하면 $\frac{1}{2}$이에요.

민기

( )

[5~6] 영진이의 줄넘기 기록을 나타낸 표입니다. 물음에 답하세요.

영진이의 줄넘기 기록

회	1회	2회	3회	4회	5회
줄넘기 기록(번)	47	38	52	43	45

5 영진이의 줄넘기 기록의 합은 몇 번일까요?

( )

6 영진이의 줄넘기 기록의 평균은 몇 번일까요?

( )

7 다음 카드 중에서 한 장을 뽑을 때 카드를 뽑을 가능성을 수로 표현해 보세요.

(   )

8 서현이네 학교 5학년 학생들이 현장 체험 학습을 가기 위해 버스에 탔습니다. 7대의 버스에 탄 학생 수가 모두 182명일 때 버스 한 대에 탄 학생 수의 평균은 몇 명일까요?

(   )

[9~10] 민수네 모둠의 100 m 달리기 기록을 나타낸 표입니다. 100 m 달리기 기록의 평균이 13초일 때 물음에 답하세요.

민수네 모둠의 100 m 달리기 기록

이름	민수	동호	혜미	진영	채민
기록(초)	14	15	12		13

9 민수네 모둠의 100 m 달리기 기록의 합은 몇 초일까요?

(   )

10 진영이의 100 m 달리기 기록은 몇 초일까요?

(   )

11 영서가 하루에 마신 우유의 양의 평균은 280 mL입니다. 영서가 일주일 동안 마신 우유의 양은 모두 몇 mL일까요?

(   )

4 주 평가

12 회전판에서 화살이 초록색에 멈출 가능성이 높은 것부터 순서대로 기호를 써 보세요.

가 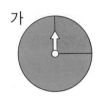   나 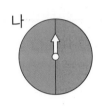   다 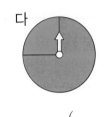   라

(   )

[13~14] 현기네 모둠 학생들의 멀리 던지기 기록을 나타낸 표입니다. 물음에 답하세요.

현기네 모둠의 멀리 던지기 기록

	1회	2회	3회	4회
현기	34 m	27 m	34 m	37 m
지원	35 m	37 m	26 m	26 m
나래	30 m	41 m	25 m	24 m

13 학생들의 멀리 던지기 기록의 평균을 각각 구해 보세요.

현기 (   ), 지원 (   ), 나래 (   )

14 멀리 던지기 기록의 평균이 가장 좋은 학생은 누구일까요?

(   )

15 보미의 국어, 수학, 사회 세 과목의 점수의 평균은 94점이고, 과학 점수는 90점입니다. 네 과목의 점수의 평균은 몇 점일까요?

(　　　　　　　)

16 조건 에 알맞은 회전판이 되도록 색칠해 보세요. (단, 경계선에 멈추는 경우는 생각하지 않습니다.)

조건
- 화살이 노란색에 멈출 가능성이 가장 높습니다.
- 화살이 파란색에 멈출 가능성은 빨간색에 멈출 가능성의 4배입니다.

17 준호네 모둠과 연우네 모둠의 어제 독서 시간을 나타낸 표입니다. 어느 모둠의 독서 시간의 평균이 몇 분 더 긴지 차례로 구해 보세요.

준호네 모둠의 독서 시간

이름	준호	은우	지훈	민호
독서 시간(분)	45	38	63	34

연우네 모둠의 독서 시간

이름	연우	지아	종빈	리안	민규
독서 시간(분)	20	35	61	32	42

(　　　　　　　), (　　　　　　　)

4주 평가

1 현지네 학교에서 즐거운 운동회가 열렸습니다. 달리기에 참가한 모든 학생들은 회전판에 화살을 던져서 맞힌 칸에 적힌 상품을 받아갈 수 있습니다. 화살을 던져서 각 상품을 맞힐 가능성이 주사위를 한 번 굴릴 때 주어진 일이 일어날 가능성과 같도록 회전판을 알맞게 나누고 각 칸에 상품의 이름을 써넣으세요.

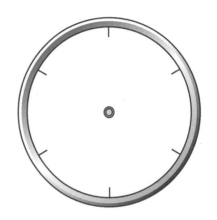

상품

가: 주사위 눈의 수가 6 이상인 수로 나올 가능성 ·········· 줄넘기

나: 주사위 눈의 수가 3의 약수로 나올 가능성 ············· 물병

다: 주사위 눈의 수가 5의 배수로 나올 가능성 ············· 필통

라: 주사위 눈의 수가 2 이하인 수로 나올 가능성 ·········· 간식

(1) 주사위를 한 번 굴릴 때 일이 일어날 가능성을 각각 수로 표현해 보세요.

가 (   ), 나 (   ), 다 (   ), 라 (   )

(2) 화살을 던졌을 때 각 상품을 맞힐 가능성을 수로 표현해 보세요.

(   ), (   ), (   ), (   )
줄넘기   물병   필통   간식

(3) 회전판을 알맞게 나누고 각 칸에 상품의 이름을 써넣으세요.

Memo

14~15쪽

  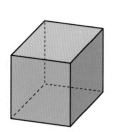 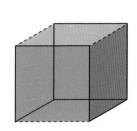 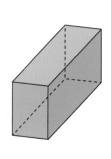 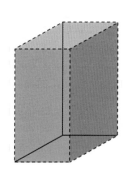

16~17쪽

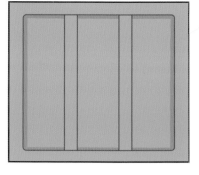  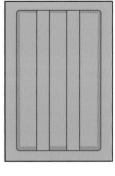 

 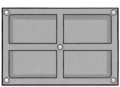 

 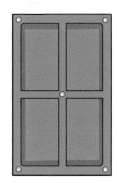 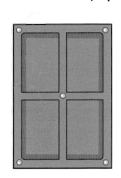 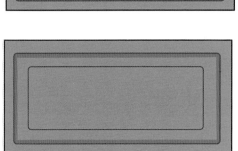

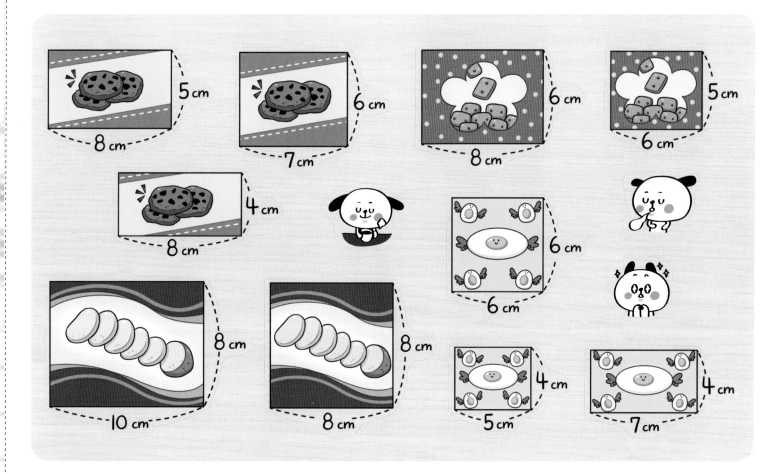

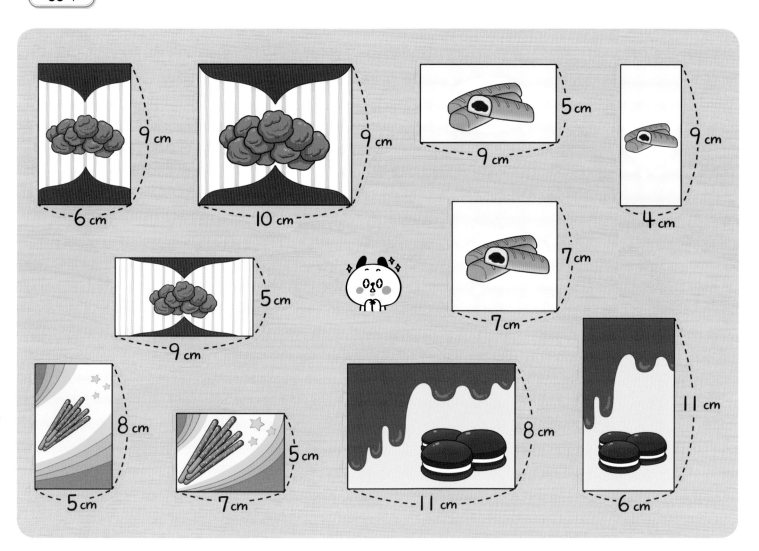

34〜35쪽

62〜63쪽

64〜65쪽

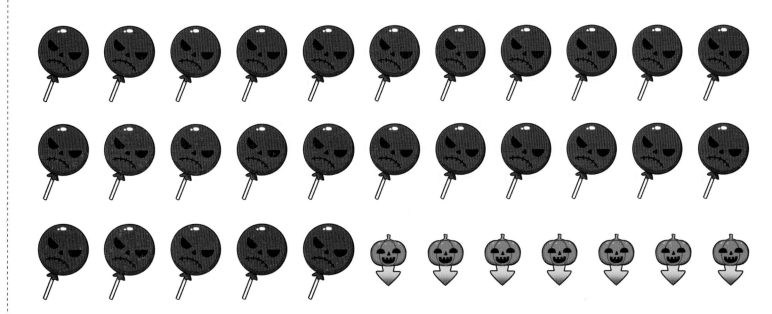

80~81쪽

82~83쪽

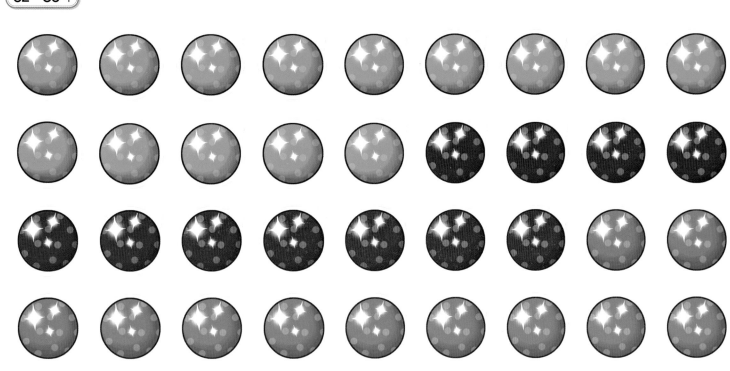

Go!
매쓰

GO!

교과서 GO! 사고력 GO!

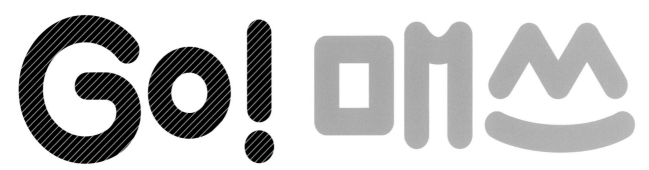

GO! 매쓰

Run-C
교과서 사고력

GO!

정답과 풀이　　수학 5-2

열심히
풀었으니까,
한 번 맞춰 볼까?

5 직육면체

직육면체 상자, 정육면체 상자

준호와 수지가 크리스마스 때 서로 주고받을 선물로 인형과 축구공을 샀습니다. 준비한 선물을 예쁘게 포장하기 위해서 인형과 축구공 크기에 알맞은 상자를 고르고 있습니다. 어떤 상자를 골라야 할지 함께 알아볼까요?

준호는 인형을 꼭 맞는 상자에 포장하기 위해 6개의 면이 직사각형 모양으로 둘러싸인 직육면체 상자를 골랐습니다.

수지는 축구공을 꼭 맞는 상자에 포장하기 위해 6개의 면이 정사각형 모양으로 둘러싸인 정육면체 상자를 골랐습니다.

왼쪽 물건을 상자에 넣어 포장하려고 합니다. 알맞은 상자를 찾아 이어 보세요.

각 상자의 앞면에 오른쪽 색종이를 붙여서 꾸미려고 합니다. 알맞은 색종이를 찾아 이어 보세요.

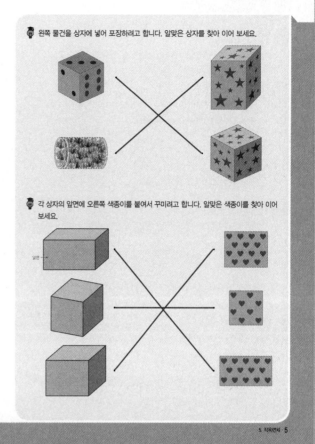

1단계 교과서 개념 잡기

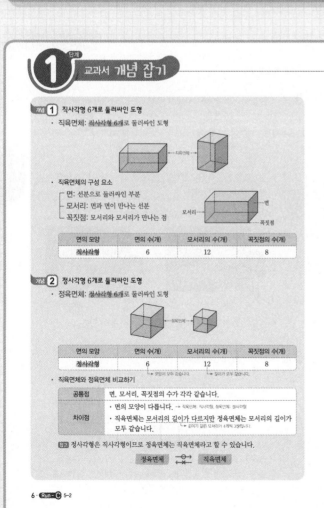

개념 1 직사각형 6개로 둘러싸인 도형

· 직육면체: 직사각형 6개로 둘러싸인 도형

· 직육면체의 구성 요소
  - 면: 선분으로 둘러싸인 부분
  - 모서리: 면과 면이 만나는 선분
  - 꼭짓점: 모서리와 모서리가 만나는 점

면의 모양	면의 수(개)	모서리의 수(개)	꼭짓점의 수(개)
직사각형	6	12	8

개념 2 정사각형 6개로 둘러싸인 도형

· 정육면체: 정사각형 6개로 둘러싸인 도형

면의 모양	면의 수(개)	모서리의 수(개)	꼭짓점의 수(개)
정사각형	6	12	8

· 직육면체와 정육면체 비교하기

공통점	면, 모서리, 꼭짓점의 수가 각각 같습니다.
차이점	· 면의 모양이 다릅니다. → 직육면체: 직사각형, 정육면체: 정사각형 · 직육면체는 모서리의 길이가 다르지만 정육면체는 모서리의 길이가 모두 같습니다.

참고 정사각형은 직사각형이므로 정육면체는 직육면체라고 할 수 있습니다.

정육면체 ↔ 직육면체

개념 확인 문제

정답과 풀이 p.1

1-1 그림을 보고 ☐ 안에 알맞은 수나 말을 써넣으세요.

직사각형 **6** 개로 둘러싸인 도형을 **직육면체** (이)라고 합니다.

1-2 ☐ 안에 직육면체의 각 부분의 이름을 알맞게 써넣으세요.

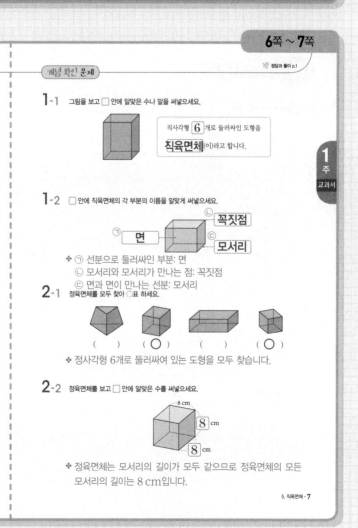

꼭짓점 **면** **모서리**

❖ ㉠ 선분으로 둘러싸인 부분: 면
  ㉡ 모서리와 모서리가 만나는 점: 꼭짓점
  ㉢ 면과 면이 만나는 선분: 모서리

2-1 정육면체를 모두 찾아 ○표 하세요.

( ) (○) ( ) (○)

❖ 정사각형 6개로 둘러싸여 있는 도형을 모두 찾습니다.

2-2 정육면체를 보고 ☐ 안에 알맞은 수를 써넣으세요.

8 cm
8 cm
8 cm

❖ 정육면체는 모서리의 길이가 모두 같으므로 정육면체의 모든 모서리의 길이는 8 cm입니다.

① 단계 교과서 개념 잡기

개념 3 직육면체의 성질

- 직육면체의 밑면: 직육면체에서 색칠한 두 면처럼 계속 늘여도 만나지 않는 두 면

→ 직육면체에는 평행한 면이 3쌍 있고 이 평행한 면은 각각 밑면이 될 수 있습니다.

- 직육면체의 옆면: 직육면체에서 밑면과 수직인 면

→ 직육면체에서 한 면에 수직인 면은 4개입니다.

개념 4 직육면체의 겨냥도

- 직육면체의 겨냥도: 직육면체 모양을 잘 알 수 있도록 나타낸 그림

겨냥도는 보이는 모서리와 보이지 않는 모서리를 구분해서 나타내요.

→ 겨냥도에서 보이는 모서리는 실선으로, 보이지 않는 모서리는 점선으로 나타냅니다.

면의 수(개)		모서리의 수(개)		꼭짓점의 수(개)	
보이는 면	보이지 않는 면	보이는 모서리	보이지 않는 모서리	보이는 꼭짓점	보이지 않는 꼭짓점
3	3	9 ←실선	3 ←점선	7	1

참고 오른쪽 직육면체의 겨냥도에서 같은 색의 모서리는 길이가 같습니다.
→ 서로 평행한 모서리 4개는 길이가 같습니다.

개념 확인 문제

정답과 풀이 p.2

3-1 직육면체에서 색칠한 면과 평행한 면을 찾아 색칠해 보세요.

(1)   (2)

✤ 색칠한 면과 마주 보는 면을 찾아 색칠합니다.

3-2 직육면체에서 색칠한 면이 한 밑면일 때 옆면을 모두 찾아 써 보세요.

(**면 ㄱㄴㄷㄹ, 면 ㄴㅂㅅㄷ, 면 ㅁㅂㅅㅇ, 면 ㄱㅁㅇㄹ**)

✤ 색칠한 면 ㄱㄴㅂㅁ과 수직인 면을 모두 찾습니다.

4-1 직육면체의 겨냥도를 보고 □ 안에 알맞은 말을 써넣으세요.

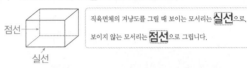

직육면체의 겨냥도를 그릴 때 보이는 모서리는 **실선**으로, 보이지 않는 모서리는 **점선**으로 그립니다.

4-2 직육면체에서 보이지 않는 모서리를 점선으로 그려 넣어 겨냥도를 완성해 보세요.

(1) 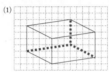 (2)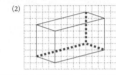

✤ 마주 보는 모서리끼리 평행하도록 보이지 않는 모서리 3개를 점선으로 그립니다.

---

① 단계 교과서 개념 잡기

개념 5 정육면체의 전개도

- 정육면체의 전개도: 정육면체의 모서리를 잘라서 펼친 그림

같은 색 면끼리 서로 평행합니다.
다른 색 면끼리 서로 수직입니다.

→ 정육면체의 전개도에서 잘린 모서리는 실선으로, 잘리지 않는 모서리는 점선으로 표시합니다.

- 여러 가지 정육면체의 전개도

뒤집거나 돌린 것도 같은 모양으로 보면 모두 11가지예요.

→ 자르는 방법에 따라 전개도의 모양은 여러 가지로 만들어집니다.

- 정육면체의 전개도의 특징
① 정사각형 6개로 이루어져 있습니다.
② 모든 모서리의 길이가 같습니다.
③ 접었을 때 서로 겹치는 부분이 없습니다.
④ 접었을 때 서로 마주 보며 평행한 면이 3쌍 있습니다.
⑤ 접었을 때 한 면과 수직인 면이 4개입니다.
⑥ 접었을 때 만나는 모서리의 길이가 같습니다.

개념 확인 문제

정답과 풀이 p.2

5-1 전개도를 접어서 정육면체를 만들었을 때 색칠한 면과 평행한 면에 색칠해 보세요.

(1)   (2)

✤ 전개도를 접어서 정육면체를 만들었을 때 색칠한 면과 마주 보는 면을 찾아 색칠합니다.

5-2 정육면체의 전개도를 바르게 그린 사람은 누구인지 써 보세요.

 준우    서희

(**서희**)

✤ 준우가 그린 전개도는 접었을 때 겹치는 면이 있습니다.

5-3 정육면체의 전개도를 완성해 보세요.

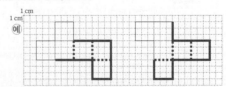

✤ 정육면체를 접었을 때 겹치는 부분이 없도록 빠진 부분을 그려 넣어 전개도를 완성합니다. 이때 잘린 모서리는 실선으로, 잘리지 않는 모서리는 점선으로 그립니다.

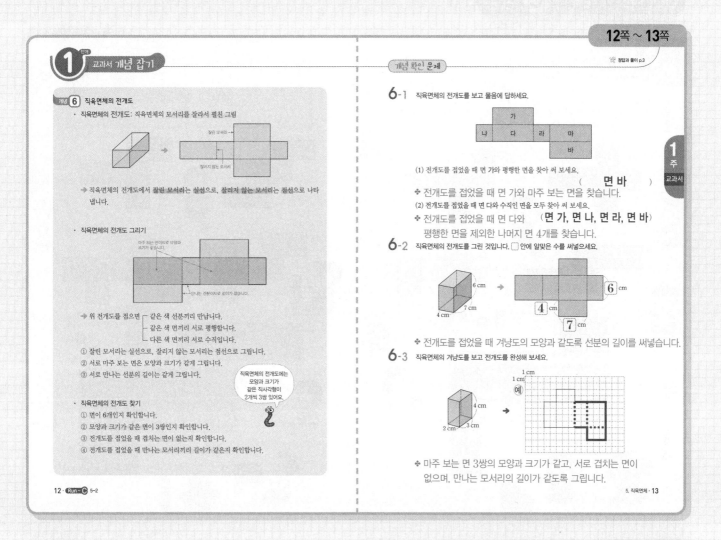

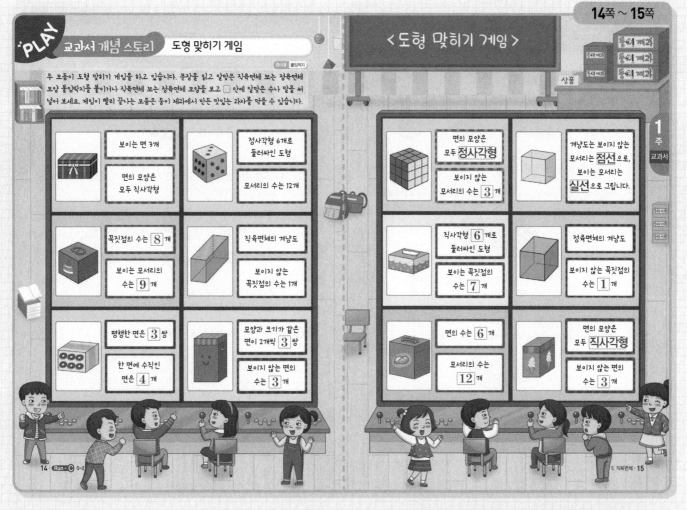

PLAY 교과서 개념 스토리   전개도 완성하기

자석블록 전시회에서 전개도 만들기 체험을 하고 있습니다. 전개도에 블록 붙임딱지 2개를 더 붙여 정육면체 블록 전개도를 완성해 보세요. 또, 붙임딱지 3개를 더 붙여 직육면체 블록 전개도도 완성해 보세요. (단, 전개도의 모양은 모두 달라야 합니다.)

---

② 단계 교과서 개념 다지기

정답과 풀이 p.4

개념 1 직사각형 6개로 둘러싸인 도형

01 직육면체 모양의 물건을 모두 찾아 ○표 하세요.

( )　　(○)　　( )　　(○)

❖ 직사각형 6개로 둘러싸인 모양을 모두 찾습니다.

02 직육면체 모양의 선물 상자에서 보이는 면, 보이는 모서리, 보이는 꼭짓점의 수를 각각 구해 보세요.

보이는 면의 수 (**3개**)
보이는 모서리의 수 (**9개**)
보이는 꼭짓점의 수 (**7개**)

❖ 직육면체에서 보이는 면은 3개, 보이는 모서리는 9개, 보이는 꼭짓점은 7개입니다.

03 직육면체에서 면의 수, 모서리의 수, 꼭짓점의 수를 각각 구해 보세요.

면의 수 (**6개**)
모서리의 수 (**12개**)
꼭짓점의 수 (**8개**)

❖ 직육면체는 면이 6개, 모서리가 12개, 꼭짓점이 8개입니다.

개념 2 정사각형 6개로 둘러싸인 도형

04 정육면체 모양의 케이크가 있습니다. 이 케이크의 면의 모양은 어떤 도형일까요?

정사각형

(**정사각형**)

❖ 정육면체는 정사각형 6개로 둘러싸인 도형이므로 케이크의 면의 모양은 정사각형입니다.

05 세 친구가 정육면체에 대하여 이야기하고 있습니다. ㉠+㉡+㉢의 값을 구해 보세요.

정육면체에서 면의 수는 ㉠개야.　정육면체에서 모서리의 수는 ㉡개야.　정육면체에서 꼭짓점의 수는 ㉢개야.

(**26**)

❖ 정육면체에서 면의 수는 6개이므로 ㉠=6, 모서리의 수는 12개이므로 ㉡=12, 꼭짓점의 수는 8개이므로 ㉢=8입니다.

➡ ㉠+㉡+㉢=6+12+8=26

06 정육면체에 대한 설명으로 틀린 것을 모두 찾아 기호를 써 보세요.

㉠ 정육면체에서 보이는 면은 3개입니다.
㉡ 정육면체에서 보이지 않는 꼭짓점은 4개입니다.
㉢ 정육면체는 모서리의 길이가 모두 같습니다.
㉣ 정육면체는 정사각형 8개로 둘러싸여 있습니다.

(**㉡, ㉣**)

❖ ㉡ 정육면체에서 보이지 않는 꼭짓점은 1개입니다.
　㉣ 정육면체는 정사각형 6개로 둘러싸인 도형입니다.

2 단계 교과서 **개념 다지기**

정답과 풀이 p.5

개념3 직육면체의 성질

07 직육면체에서 색칠한 두 면이 이루는 각의 크기는 몇 도일까요?

✤ 직육면체에서 색칠한
두 면이 수직으로 만나므로 색칠한 두 면이 (**90°**)
이루는 각의 크기는 90°입니다.

08 직육면체에서 서로 평행한 면을 찾아 써 보세요.

면 ㄱㄴㄷㄹ과 (**면 ㅁㅂㅅㅇ**)
면 ㄱㄴㅂㅁ과 (**면 ㄹㄷㅅㅇ**)
면 ㄴㅂㅅㄷ과 (**면 ㄱㅁㅇㄹ**)

✤ 각 면과 마주 보는 면을 찾습니다.

09 직육면체에서 면 ㄷㅅㅇㄹ과 수직인 면을 모두 찾아 써 보세요.

(**면 ㄱㄴㄷㄹ, 면 ㄴㅂㅅㄷ,**)
면 ㅁㅂㅅㅇ, 면 ㄱㅁㅇㄹ

✤ 면 ㄷㅅㅇㄹ과 마주 보는
면인 면 ㄴㅂㅁㄱ을 제외한 나머지 면들과 수직으로 만납니다.

10 직육면체에서 길이가 7 cm인 모서리는 모두 몇 개일까요?

길이가 7 cm인 모서리
5 cm
7 cm
10 cm

(**4개**)

✤ 직육면체에서 길이가 같은 모서리가 4개씩 3쌍 있으므로 길이가
7 cm인 모서리는 모두 4개입니다.

개념4 직육면체의 겨냥도

11 직육면체의 겨냥도를 바르게 그린 친구를 찾아 이름을 써 보세요.

 예지   민기   윤하

(**윤하**)

✤ 보이는 모서리는 실선, 보이지 않는 모서리는 점선으로 그린
친구를 찾으면 윤하입니다.

12 직육면체를 보고 빈칸에 알맞은 수를 써넣으세요.

	보이는 부분	보이지 않는 부분
면의 수(개)	3	3
모서리의 수(개)	9	3
꼭짓점의 수(개)	7	1

13 직육면체의 겨냥도를 잘못 그린 것입니다. 잘못 그린 이유를 써 보세요.

이유 **예** **보이지 않는 모서리는 점선으로 그려야 하는데**
실선으로 그렸습니다.

---

2 단계 교과서 **개념 다지기**

정답과 풀이 p.5

개념5 정육면체의 전개도

14 전개도를 접어서 정육면체를 만들었을 때 면 가와 수직인 면을 모두 찾아 써 보세요.

가 나
다 라 마
바

(**면 나, 면 다,**)
면 마, 면 바

✤ 전개도를 접었을 때 면 가와 만나는 면을 모두 찾습니다.

15 정육면체의 모서리를 잘라서 정육면체의 전개도를 만들었습니다. □ 안에 알맞은 기호를 써넣으세요.

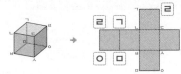
ㄹ
ㄹ ㄱ
ㅁ ㅁ

✤ 전개도를 접었을 때 만나는 점끼리 같은 기호를 써넣습니다.

16 전개도를 접어서 주사위를 만들려고 합니다. 주사위에서 서로 평행한 두 면의 눈의 수의
합은 7입니다. 전개도의 빈 곳에 주사위의 눈을 알맞게 그려 넣으세요.

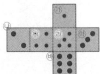

✤ 서로 평행한 두 면을 찾아 눈의 수의 합이 7이 되도록 그립니다.
㉮와 마주 보는 면: ㉯ ➡ (㉯의 눈의 수)=7-1=6
㉰와 마주 보는 면: ㉱ ➡ (㉱의 눈의 수)=7-4=3
㉲와 마주 보는 면: ㉳ ➡ (㉳의 눈의 수)=7-5=2

개념6 직육면체의 전개도

17 직육면체의 전개도를 보고 주어진 선분과 겹쳐지는 선분을 찾아 써 보세요.

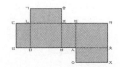

선분 ㄱㅎ과 선분 (**ㅋㅌ**)
선분 ㄷㄹ과 선분 (**ㅋㅊ**)

✤ 전개도를 접었을 때 선분 ㄱㅎ은 선분 ㅋㅌ을 만나 한 모서리가 되고,
선분 ㄷㄹ은 선분 ㅋㅊ을 만나 한 모서리가 됩니다.

18 직육면체를 보고 전개도를 완성해 보세요.

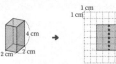
4 cm
2 cm 2 cm
1 cm
1 cm

✤ 전개도를 접었을 때 마주 보는 면이 3쌍이고, 마주 보는 면의 모양과 크
기가 같아야 하며 만나는 모서리의 길이가 같도록 점선을 그려 넣습니다.

19 직육면체의 전개도를 잘못 그린 것입니다. 잘못 그린 이유를 써 보세요.

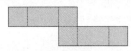

이유 **예** **접었을 때 만나는 모서리의 길이가 다릅니다.**

3단계 교과서 실력 다지기

✦ ⑦ 직육면체는 면의 모양이 직사각형이고, 정육면체는
면의 모양이 정사각형입니다.
ⓛ 직육면체는 길이가 같은 모서리가 4개씩이지만 정육
면체는 모든 모서리의 길이가 같습니다.

정답과 풀이 p.6

★ 직육면체와 정육면체 비교하기

1 직육면체와 정육면체의 공통점을 모두 찾아 기호를 써 보세요.

> ⑦ 면의 모양   ⓛ 모서리의 수
> ⓒ 모서리의 길이   ② 꼭짓점의 수

답 __ⓛ, ②__

개념 피드백 • 직육면체와 정육면체 비교하기
① 공통점: 면, 모서리, 꼭짓점의 수가 각각 같습니다.
② 차이점: 직육면체의 면은 직사각형, 정육면체의 면은 정사각형입니다.
직육면체는 모서리의 길이가 다르지만 정육면체는 모서리의 길이가 모두 같습니다.

1-1 빈칸에 알맞게 써넣으세요.

면의 모양	직육면체	정육면체
	직사각형	**정사각형**
면의 수(개)	6	6
모서리의 수(개)	12	12
꼭짓점의 수(개)	8	8

✦ 직육면체와 정육면체는 면의 수, 모서리의 수, 꼭짓점의 수가 각각 같습니다.

1-2 직육면체와 정육면체의 관계에 대해 바르게 설명한 친구의 이름을 써 보세요.

정육면체는 직육면체라고 할 수 있어.
예지

직육면체는 정육면체라고 할 수 있어.
강호

✦ 정사각형은 직사각형이라고 할 수 있으므로 (__예지__)
정사각형으로 이루어진 정육면체는 직사각형으로 이루어진
직육면체라고 할 수 있습니다.

★ 보이는 부분과 보이지 않는 부분의 수 알아보기

2 오른쪽 직육면체에서 보이는 모서리와 보이지 않는 꼭짓점의 수의 합은 몇 개인지 구해 보세요.

답 **10개**

1주
교과서

개념 피드백 • 직육면체의 겨냥도에서 보이는 모서리는 실선으로, 보이지 않는 모서리는 점선으로 그립니다.
• 점선으로 그려진 세 모서리가 만나는 꼭짓점이 보이지 않는 꼭짓점입니다.

✦ 보이는 모서리: 9개, 보이지 않는 꼭짓점: 1개
➡ 9+1=10(개)

2-1 직육면체에서 보이는 면과 보이는 꼭짓점의 수의 합은 몇 개인지 구해 보세요.

보이는 꼭짓점→
보이는 면→

(**10개**)

✦ 보이는 면: 3개, 보이는 꼭짓점: 7개
➡ 3+7=10(개)

2-2 정육면체에서 보이지 않는 면과 보이지 않는 모서리의 수의 합은 몇 개인지 구해 보세요.

보이지 않는 모서리를 점선으로 그려 넣어 봐.
윤하

(**6개**)

✦ 보이지 않는 면: 3개, 보이지 않는 모서리: 3개
➡ 3+3=6(개)

3단계 교과서 실력 다지기

정답과 풀이 p.6

★ 전개도에서 만나는 부분 찾기

3 전개도를 접어서 직육면체를 만들었을 때 점 ㄴ과 만나는 점을 모두 찾아 써 보세요.

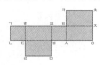

답 **점 ㄹ, 점 ㅇ**

개념 피드백 • 점선을 따라 전개도를 접은 모양을 생각해 봅니다.
• 만나는 점을 먼저 알아보면 만나는 선분도 쉽게 찾을 수 있습니다.

✦ 전개도를 접었을 때 점 ㄴ과 만나는 점은 점 ㄹ, 점 ㅇ입니다.

3-1 전개도를 접어서 직육면체를 만들었을 때 선분 ㄱㅎ과 만나는 선분을 찾아 써 보세요.

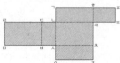

(**선분 ㄷㄹ**)

✦ 전개도를 접었을 때 선분 ㄱㅎ과 선분 ㄷㄹ이 만나 한 모서리가 됩니다.

3-2 전개도를 접어서 정육면체를 만들었을 때 선분 ㅎㅍ과 만나는 선분을 찾아 써 보세요.

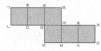

(**선분 ㅇㅈ**)

✦ 전개도를 접었을 때 선분 ㅎㅍ과 선분 ㅇㅈ이 만나 한 모서리가 됩니다.

★ 모든 모서리 길이의 합 구하기

4 직육면체에서 모든 모서리 길이의 합은 몇 cm인지 구해 보세요.

3 cm
7 cm   5 cm

답 **60 cm**

1주
교과서

개념 피드백 직육면체에는 길이가 같은 모서리가 4개씩 3쌍 있습니다.

✦ 길이가 7 cm, 5 cm, 3 cm인 모서리가 각각 4개씩 있습니다.
➡ (모든 모서리 길이의 합)=(7+5+3)×4=15×4=60(cm)

4-1 직육면체에서 모든 모서리 길이의 합은 몇 cm인지 구해 보세요.

4 cm
11 cm   3 cm

(**72 cm**)

✦ 길이가 11 cm, 3 cm, 4 cm인 모서리가 각각 4개씩 있습니다.
➡ (모든 모서리 길이의 합)=(11+3+4)×4=18×4=72(cm)

4-2 직육면체에서 모든 모서리 길이의 합은 몇 cm인지 구해 보세요.

2 cm
13 cm   6 cm

(**84 cm**)

✦ 길이가 13 cm, 2 cm, 6 cm인 모서리가 각각 4개씩 있습니다.
➡ (모든 모서리 길이의 합)=(13+2+6)×4=21×4=84(cm)

❖ 보이는 모서리에는 길이가 다른 모서리 3개가 각각 3개씩 있습니다.
➡ (길이가 다른 모서리 3개의 길이의 합)
＝75÷3＝25(cm)
직육면체에는 길이가 다른 모서리 3개가
각각 4개씩 있습니다.
➡ (모든 모서리 길이의 합)＝25×4＝100(cm)

28쪽 ~ 29쪽

3단계 교과서 실력 다지기

★ 한 모서리의 길이 구하기

5 오른쪽 정육면체 모양의 주사위에서 모든 모서리 길이의 합은 96 cm 입니다. 이 주사위에서 한 모서리의 길이는 몇 cm인지 구해 보세요.

답 **8 cm**

개념 피드백
・ 정육면체에는 길이가 같은 모서리가 12개 있습니다.
・ 직육면체에는 길이가 같은 모서리가 4개씩 3쌍 있습니다.

❖ 정육면체에는 길이가 같은 모서리가 12개 있습니다.
➡ (한 모서리의 길이)＝96÷12＝8(cm)

5-1 오른쪽 정육면체에서 보이는 모서리 길이의 합은 45 cm입니다. 이 정육면체에서 한 모서리의 길이는 몇 cm인지 구해 보세요.

(**5 cm**)

❖ 정육면체에는 길이가 같은 모서리가
12개 있고 그중 보이는 모서리는 9개입니다.
➡ (한 모서리의 길이)＝45÷9＝5(cm)

5-2 직육면체에서 모든 모서리 길이의 합은 92 cm입니다. ★에 알맞은 수를 구해 보세요.

(**6**)

❖ 직육면체에는 길이가 12 cm, ★ cm, 5 cm인 모서리가
각각 4개씩 있습니다.
➡ (12＋★＋5)×4＝92, 12＋★＋5＝23,
★＝23－5－12＝6

28 · Run - C 5-2

★ 보이는 모서리 길이의 합 활용하기

6 오른쪽 직육면체 모양의 상자에서 보이는 모서리 길이의 합은 75 cm입니다. 이 상자에서 모든 모서리 길이의 합은 몇 cm인지 구해 보세요.

답 **100 cm**

개념 피드백
・ 직육면체에서 보이는 모서리에는 길이가 다른 모서리 3개가 각각 3개씩 있습니다.
・ 직육면체에는 길이가 다른 모서리 3개가 각각 4개씩 있습니다.

6-1 오른쪽 직육면체 모양의 상자에서 보이는 모서리 길이의 합은 54 cm입니다. 이 상자에서 모든 모서리 길이의 합은 몇 cm인지 구해 보세요.

(**72 cm**)

❖ (길이가 다른 모서리 3개의 길이의 합)＝54÷3＝18(cm)
➡ (모든 모서리 길이의 합)＝18×4＝72(cm)

6-2 오른쪽 정육면체 모양의 상자에서 보이는 모서리 길이의 합은 90 cm 입니다. 이 상자에서 보이지 않는 모서리 길이의 합은 몇 cm인지 구해 보세요.

(**30 cm**)

❖ 정육면체에는 길이가 같은 모서리가 12개 있고 그중 보이는
모서리는 9개, 보이지 않는 모서리는 3개입니다.
(한 모서리의 길이)＝90÷9＝10(cm)
➡ (보이지 않는 모서리 길이의 합)＝10×3＝30(cm)

5. 직육면체 · 29

Test 교과서 서술형 연습

1 한 모서리의 길이가 11 cm인 정육면체에서 모든 모서리 길이의 합은 몇 cm인지 구해 보세요.

 11 cm

🖋 구하려는 것, 주어진 것에 선을 그어 봅니다.
해결하기 정육면체의 한 모서리의 길이가 **11** cm이고 정육면체에는 길이가 같은
모서리가 **12** 개 있습니다. 따라서 정육면체에서 모든 모서리 길이의 합은
(한 모서리의 길이×모서리의 수)＝ **11** × **12** ＝ **132** (cm)입니다.

답 구하기 **132 cm**

2 한 모서리의 길이가 8 cm인 정육면체에서 모든 모서리 길이의 합은 몇 cm인지 구해 보세요.
주어진 것   구하려는 것

 8 cm

🖋 구하려는 것, 주어진 것에 선을 그어 봅니다.
해결하기 (예) 정육면체의 한 모서리의 길이가 8 cm이고
정육면체에는 길이가 같은 모서리가 12개 있습니다.
따라서 정육면체에서 모든 모서리 길이의 합은
(한 모서리의 길이)×(모서리의 수) **96 cm**
＝8×12＝96 (cm)입니다.

30 · Run - C 5-2

---

3 직육면체의 겨냥도에서 보이지 않는 모서리 길이의 합은 몇 cm인지 구해 보세요.

 6 cm / 4 cm / 15 cm

🖋 구하려는 것, 주어진 것에 선을 그어 봅니다.
해결하기 보이지 않는 모서리는 15 cm, 4 cm, **6** cm인 모서리가 각각 **1** 개씩 있습니다.
따라서 보이지 않는 모서리 길이의 합은
15 ＋ **4** ＋ **6** ＝ **25** (cm)입니다.

답 구하기 **25 cm**

4 직육면체의 겨냥도에서 보이지 않는 모서리 길이의 합은 몇 cm인지 구해 보세요.
┌ 구하려는 것

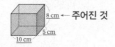 8 cm ← 주어진 것 / 5 cm / 10 cm

🖋 구하려는 것, 주어진 것에 선을 그어 봅니다.
해결하기 (예) 보이지 않는 모서리는 10 cm, 5 cm,
8 cm인 모서리가 각각 1개씩 있습니다.
따라서 보이지 않는 모서리 길이의 합은
10＋5＋8＝23 (cm)입니다.   답 구하기 **23 cm**

5. 직육면체 · 31

PLAY 사고력 개념 스토리　과자 상자 만들기

동이 제과에서 맛있는 과자를 담을 직육면체 모양의 과자 상자를 만들고 있습니다. 상자의 두 면을 보고 크기가 다른 나머지 면으로 알맞은 붙임딱지를 붙여 보세요.

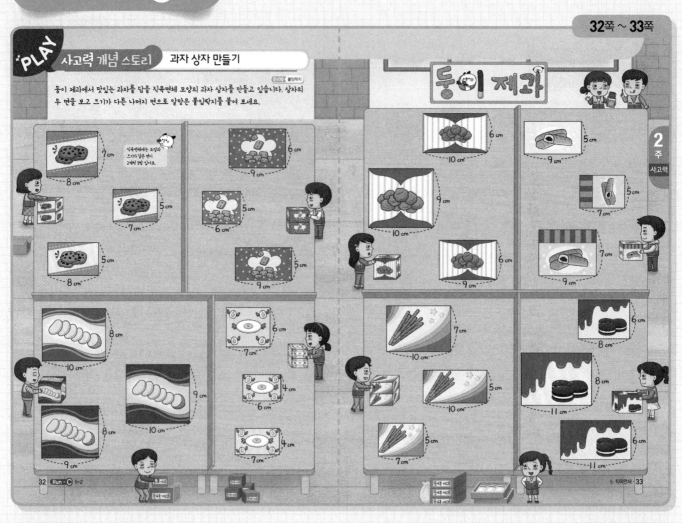

PLAY 사고력 개념 스토리　전개도의 그림 찾기

전개도 학습장

전개도 체험학습장에서 미션이 시작되었습니다. 각 전개도의 그림에 맞게 정육면체에 알맞은 붙임딱지를 붙여 보세요. 미션이 완성될 때마다 미션 나무에 동이 붙임딱지도 붙여 보세요.

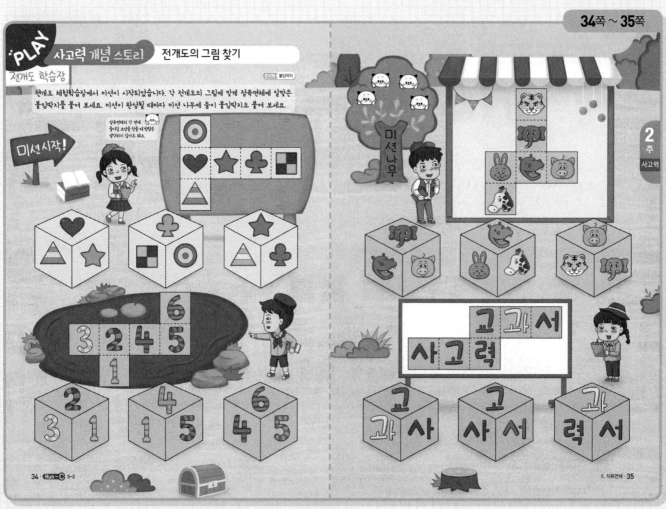

1단계 교과 사고력 잡기

1 전개도를 접어서 직육면체를 만들었을 때 면 가와 평행한 면의 넓이는 몇 cm²인지 구해 보세요.

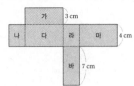

① 면 가와 평행한 면을 찾아 써 보세요.

(**면 바**)

✧ 전개도를 접어서 직육면체를 만들었을 때 면 가와 마주 보는 면은 면 바입니다.

② 면 가와 평행한 면의 가로와 세로를 각각 구해 보세요.

가로 (**3 cm**)
세로 (**7 cm**)

✧ 면 바의 가로는 3 cm, 세로는 7 cm입니다.

③ 면 가와 평행한 면의 넓이는 몇 cm²인지 구해 보세요.

(**21 cm²**)

✧ (면 바의 넓이)=(가로)×(세로)=3×7=21 (cm²)

---

2 전개도를 접어서 직육면체를 만들었을 때 면 가와 수직인 면의 넓이의 합은 몇 cm²인지 구해 보세요.

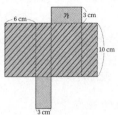

① 면 가와 수직인 면을 모두 찾아 빗금을 그어 보세요.

✧ 면 가와 수직인 면을 모두 찾아 전개도에 빗금을 그어 봅니다.

② 위 ①에서 빗금을 그은 면 전체의 가로와 세로는 각각 몇 cm인지 구해 보세요.

가로 (**18 cm**)
세로 (**10 cm**)

✧ (가로)=6+3+6+3=18 (cm)
(세로)=10 cm

③ 면 가와 수직인 면의 넓이의 합은 몇 cm²인지 구해 보세요.

(**180 cm²**)

✧ 가로가 18 cm, 세로가 10 cm인 직사각형입니다.
➔ (면 가와 수직인 면의 넓이의 합)=(가로)×(세로)
=18×10=180 (cm²)

1단계 교과 사고력 잡기

3 다음과 같은 직육면체 전개도의 둘레는 몇 cm인지 구해 보세요.

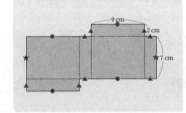

전개도를 접었을 때 만나는 모서리의 길이는 같아요.

① 전개도의 둘레에 길이가 9 cm인 선분을 모두 ●로 표시하고 몇 개인지 써 보세요.

(**4개**)

✧ 전개도의 둘레에 길이가 9 cm인 선분이 모두 4개 있습니다.

② 전개도의 둘레에 길이가 2 cm인 선분을 모두 ▲로 표시하고 몇 개인지 써 보세요.

(**8개**)

✧ 전개도의 둘레에 길이가 2 cm인 선분이 모두 8개 있습니다.

③ 전개도의 둘레에 길이가 7 cm인 선분을 모두 ★로 표시하고 몇 개인지 써 보세요.

(**2개**)

✧ 전개도의 둘레에 길이가 7 cm인 선분이 모두 2개 있습니다.

④ 직육면체 전개도의 둘레는 몇 cm인지 구해 보세요.

(**66 cm**)

✧ 길이가 9 cm인 선분이 4개, 2 cm인 선분이 8개, 7 cm인 선분이 2개 있습니다.
(전개도의 둘레)=9×4+2×8+7×2
=36+16+14=66 (cm)

---

4 다음 전개도를 접어서 만들어지는 직육면체와 모서리 길이의 합이 같은 정육면체가 있습니다. 이 정육면체에서 한 모서리의 길이는 몇 cm인지 구해 보세요.

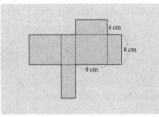

먼저 전개도를 접어 만든 직육면체에 대해 알아보세요.

① 전개도를 접어서 만든 직육면체에는 길이가 4 cm, 8 cm, 9 cm인 모서리가 각각 몇 개인지 써 보세요.

길이가 4 cm인 모서리 (**4개**)
길이가 8 cm인 모서리 (**4개**)
길이가 9 cm인 모서리 (**4개**)

② 직육면체에서 모든 모서리 길이의 합은 몇 cm일까요?

✧ 길이가 4 cm, 8 cm, 9 cm인 모서리가 각각 4개씩 있습니다.

(**84 cm**)

➔ (직육면체에서 모든 모서리 길이의 합)=(4+8+9)×4=84 (cm)

③ 정육면체에서 모든 모서리 길이의 합은 몇 cm일까요?

(**84 cm**)

④ 정육면체에서 한 모서리의 길이는 몇 cm인지 구해 보세요.

(**7 cm**)

✧ 정육면체에는 길이가 같은 모서리가 12개 있습니다.
➔ (정육면체에서 한 모서리의 길이)=84÷12=7 (cm)

2 단계 교과 사고력 확장

1 다음과 같은 과자 상자의 전개도에 한 변의 길이가 1 cm인 정사각형 모양의 붙임딱지를 겹치지 않게 빈틈없이 붙이려고 합니다. 필요한 붙임딱지는 모두 몇 장인지 구해 보세요.

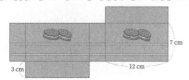

❶ ☐ 안에 알맞은 수를 써넣으세요.

전개도에는 모양과 크기가 같은 면이 2 개씩 3 쌍 있습니다.

❷ 과자 상자 전개도의 넓이는 몇 cm²일까요?

✤ 가로가 12 cm, 세로가 7 cm인 면이 2개, 가로가 (**282 cm²**)
12 cm, 세로가 3 cm인 면이 2개, 가로가 3 cm, 세로가 7 cm인 면이 2개 있습니다.
(전개도의 넓이)$=12 \times 7 \times 2 + 12 \times 3 \times 2 + 3 \times 7 \times 2$
$= 168 + 72 + 42 = 282 \, (\text{cm}^2)$

❸ 한 변의 길이가 1 cm인 정사각형 모양의 붙임딱지의 넓이는 몇 cm²일까요?

(**1 cm²**)

✤ (붙임딱지의 넓이)$= 1 \times 1 = 1 \, (\text{cm}^2)$

❹ 필요한 붙임딱지는 모두 몇 장일까요?

(**282장**)

✤ 길이가 3 cm인 모서리 4개를 자르면 한 면이 ⟨정답과 풀이 p.10⟩
떨어지므로 길이가 7 cm인 모서리 1개와 길이가 3 cm인
모서리 3개를 잘라야 합니다.

2 다음과 같이 뚜껑이 없는 과자 상자의 모서리 4개를 잘라 전개도를 만들려고 합니다. 만든 전개도의 둘레가 가장 짧게 되도록 잘랐을 때 전개도의 둘레는 몇 cm인지 구해 보세요.

전개도를 그렸을 때 직사각형의 수는 5개여야 해요. 현서

❶ ☐ 안에 알맞은 수를 써넣으세요.

전개도의 둘레가 가장 짧게 되도록 모서리 4개를 자르려면 길이가 7 cm인 모서리 1 개와 길이가 3 cm인 모서리 3 개를 잘라야 합니다.

❷ 둘레가 가장 짧게 되도록 잘랐을 때의 과자 상자의 전개도를 그려 보세요.

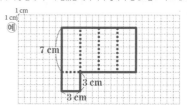

❸ ❷에서 그린 전개도의 둘레는 몇 cm인지 구해 보세요.

✤ 전개도의 둘레에는 길이가 3 cm인 (**44 cm**)
선분이 10개, 길이가 7 cm인 선분이 2개 있습니다.
➔ (전개도의 둘레)$= 3 \times 10 + 7 \times 2$
$= 30 + 14 = 44 \, (\text{cm})$

---

2 단계 교과 사고력 확장

3 직육면체 모양의 상자를 그림과 같이 끈으로 묶었습니다. 상자를 묶는 데 사용한 끈의 길이는 모두 몇 cm인지 구해 보세요. (단, 매듭으로 사용한 끈의 길이는 17 cm입니다.)

매듭 이외의 부분은 1번씩만 감았어요.

❶ 길이가 15 cm인 모서리의 길이만큼씩 몇 번 사용하였을까요?

(**2번**)

❷ 길이가 9 cm인 모서리의 길이만큼씩 몇 번 사용하였을까요?

(**2번**)

❸ 길이가 13 cm인 모서리의 길이만큼씩 몇 번 사용하였을까요?

(**4번**)

❹ 길이가 15 cm, 9 cm, 13 cm인 모서리의 길이만큼씩 사용한 끈의 길이는 모두 몇 cm일까요?

(**100 cm**)

✤ $15 \times 2 + 9 \times 2 + 13 \times 4 = 30 + 18 + 52 = 100 \, (\text{cm})$

❺ 상자를 묶는 데 사용한 끈의 길이는 모두 몇 cm일까요?

(**117 cm**)

✤ (사용한 끈의 길이)$= 100 + 17 = 117 \, (\text{cm})$

4 준우는 직육면체를 위와 앞에서 본 모양을 그렸고, 은주는 직육면체를 위와 옆에서 본 모양을 그렸습니다. 누가 본 직육면체의 모든 모서리 길이의 합이 몇 cm 더 긴지 구해 보세요.

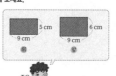 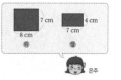

위 앞 준우   위 옆 은주

❶ 준우와 은주가 각각 본 직육면체의 겨냥도를 그리고, 모서리의 길이를 나타내어 보세요.

준우 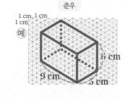   은주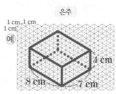

❷ 준우가 본 직육면체의 모든 모서리 길이의 합은 몇 cm일까요?

✤ (모든 모서리 길이의 합)$=(9+5+6) \times 4$ (**80 cm**)
$= 20 \times 4 = 80 \, (\text{cm})$

❸ 은주가 본 직육면체의 모든 모서리 길이의 합은 몇 cm일까요?

✤ (모든 모서리 길이의 합)$=(8+7+4) \times 4$ (**76 cm**)
$= 19 \times 4 = 76 \, (\text{cm})$

❹ 누가 본 직육면체의 모든 모서리 길이의 합이 몇 cm 더 길까요?

(**준우**), (**4 cm**)

✤ 준우가 본 직육면체의 모든 모서리 길이의 합이
$80 - 76 = 4 \, (\text{cm})$ 더 깁니다.

3 단계 교과 사고력 완성

정답과 풀이 p.11

평가 영역 ☐개념 이해력 ☐개념 응용력 ☑창의력 ☐문제 해결력

1 보기와 같이 무늬가 그려져 있는 정육면체를 만들려고 합니다. 전개도의 면에 알맞은 무늬를 그려 넣으세요.

❶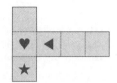

❷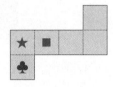

❸

✦ 전개도를 접었을 때 무늬가 그려져 있는 3개의 면이 한 꼭짓점에서 만나도록 전개도에 무늬를 그립니다.

44 · Run-C 5-2

평가 영역 ☐개념 이해력 ☐개념 응용력 ☐창의력 ☑문제 해결력

2 왼쪽과 같이 직육면체의 면에 초록색 선을 그었습니다. 직육면체의 전개도를 완성하고 전개도에 선이 지나가는 자리를 그려 넣어 보세요.

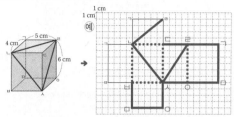

✦ 한 면에 있는 꼭짓점 ㄴ과 ㄹ, 꼭짓점 ㄴ과 ㅅ, 꼭짓점 ㅅ과 ㄹ을 이어 선이 지나가는 자리를 그립니다.

평가 영역 ☑개념 이해력 ☐개념 응용력 ☐창의력 ☐문제 해결력

3 오른쪽 직육면체의 전개도를 두 가지 방법으로 그려 보세요.

모서리를 자르는 방법에 따라 다양한 전개도를 그릴 수 있어요.

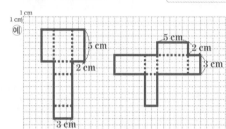

5. 직육면체 · 45

Test 종합평가   5. 직육면체   맞은 개수 [   ]

정답과 풀이 p.11

1 직육면체를 모두 찾아 기호를 써 보세요.

(㉡, ㉣)

✦ 직사각형 6개로 둘러싸인 도형을 모두 찾습니다.

2 다음 도형이 직육면체가 아닌 이유를 써 보세요.

마음 (예) 직육면체는 직사각형 6개로 둘러싸인 도형입니다. 주어진 도형은 직사각형이 아닌 모양이 있으므로 직육면체가 아닙니다.

3 다음과 같은 전개도를 접서 정육면체를 만들었습니다. 물음에 답하세요.

(1) 색칠한 면과 평행한 면에 색칠해 보세요.

✦ 전개도를 접어서 정육면체를 만들었을 때 색칠한 면과 마주 보는 면을
(2) 색칠한 면과 수직인 면에 모두 색칠해 보세요. 찾아 색칠합니다.

✦ 전개도를 접어서 정육면체를 만들었을 때 색칠한 면과 평행한 면을 제외한 나머지 4개의 면을 찾아 색칠합니다.

46 · Run-C 5-2

---

4 직육면체를 보고 면 ㄱㄴㅁㄹ과 수직인 면을 모두 찾아 써 보세요.

면 ㄱㄴㅂㅁ, 면 ㄹㄷㅅㅇ,
면 ㄱㄴㄷㄹ, 면 ㅁㅂㅅㅇ

( )

✦ 면 ㄱㅁㅇㄹ과 만나는 면을 모두 찾습니다.

5 직육면체에서 ☐ 안에 알맞은 수를 써넣으세요.

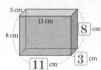

✦ 직육면체에서 평행한 모서리끼리는 각각 길이가 같습니다.

6 바르게 설명한 것을 모두 찾아 기호를 써 보세요.

㉠ 정육면체는 모든 면의 모양과 크기가 같습니다.
㉡ 직육면체의 면의 수는 정육면체의 모서리의 수보다 6만큼 작습니다.
㉢ 직육면체와 정육면체는 모서리의 길이가 모두 같습니다.

(㉠, ㉡)

✦ ㉠ 정육면체는 모든 면이 합동입니다.
㉡ 직육면체의 면의 수는 6개이고, 정육면체의 모서리의 수는 12입니다.
㉢ 정육면체는 모서리의 길이가 모두 같지만 직육면체는 그렇지 않습니다.

5. 직육면체 · 47

Test 종합평가 5. 직육면체

정답과 풀이 p.12

7 직육면체의 전개도를 접었을 때 선분 ㄱㄴ과 겹치는 선분을 찾아 써 보세요.

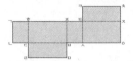

(선분 ㅈㅇ)

✤ 전개도를 접었을 때 선분 ㄱㄴ과 선분 ㅈㅇ이 만나 한 모서리가 됩니다.

8 그림에서 빠진 부분을 그려 넣어 직육면체의 겨냥도를 완성해 보세요.

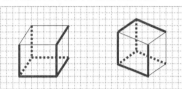

✤ 보이는 모서리는 실선으로, 보이지 않는 모서리는 점선으로 그리고, 마주 보는 모서리끼리는 평행하게 그립니다.

9 한 모서리의 길이가 7 cm인 정육면체에서 모든 모서리 길이의 합은 몇 cm일까요?

7 cm

(84 cm)

✤ 정육면체의 모서리는 12개이고, 모서리의 길이는 모두 같습니다.
→ (모든 모서리 길이의 합)=7×12=84 (cm)

48 · Run - C 5–2

10 직육면체에서 색칠한 면과 평행한 면의 네 변의 길이의 합은 몇 cm일까요?

6 cm
10 cm
4 cm

(20 cm)

✤ 색칠한 면과 평행한 면은 가로가 4 cm, 세로가 6 cm인 직사각형입니다.
→ (색칠한 면과 평행한 면의 네 변의 길이의 합)
=4+6+4+6=20 (cm)

11 직육면체에서 보이는 모서리 길이의 합은 몇 cm일까요?

8 cm
9 cm
4 cm

(63 cm)

✤ 보이는 모서리는 길이가 4 cm, 9 cm, 8 cm인 모서리가 각각 3개씩 있습니다.
→ (보이는 모서리 길이의 합)=(4+9+8)×3=21×3
=63 (cm)

12 직육면체에서 모든 모서리 길이의 합은 몇 cm일까요?

9 cm
13 cm
2 cm

(96 cm)

✤ 길이가 13 cm, 2 cm, 9 cm인 모서리가 각각 4개씩 있습니다.
→ (모든 모서리 길이의 합)=(13+2+9)×4
=24×4=96 (cm)

5. 직육면체 · 49

Test 종합평가 5. 직육면체

정답과 풀이 p.12

13 모든 모서리 길이의 합이 132 cm인 정육면체가 있습니다. 이 정육면체에서 한 모서리의 길이는 몇 cm일까요?

(11 cm)

✤ 정육면체의 모서리는 12개이고, 모서리의 길이는 모두 같습니다.
→ (한 모서리의 길이)=132÷12=11 (cm)

14 예지가 어떤 직육면체를 위와 옆에서 본 모양을 그린 것입니다. 이 직육면체에서 모든 모서리 길이의 합은 몇 cm일까요?

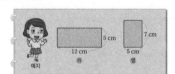

5 cm
12 cm
위
7 cm
5 cm
옆
예지

(96 cm)

✤ 길이가 12 cm, 5 cm, 7 cm인 모서리가 4개씩 있는 직육면체입니다.
→ (모든 모서리 길이의 합)=(12+5+7)×4=24×4=96 (cm)

15 직육면체 모양의 상자를 그림과 같이 끈으로 묶었습니다. 직육면체의 전개도가 오른쪽과 같을 때, 끈이 지나가는 자리를 바르게 그려 넣으세요.

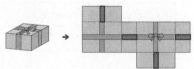

✤ 전개도를 접어 선물 상자를 접었을 때 리본이 있는 선물 상자의 윗부분과 아랫부분의 끈 사이에 끈이 지나가는 자리가 없습니다. 윗부분과 아랫부분을 연결할 수 있도록 옆면 4곳에 끈이 지나가는 자리를 그립니다.

50 · Run - C 5–2

특강 창의·융합 사고력

정답과 풀이 p.12

1 재민이는 친구들과 큐브 놀이를 하고 있습니다. 재민이가 친구들에게 큐브의 일부분을 보여 주고 친구들은 재민이가 이야기한 면과 평행한 면의 색을 알아맞혀야 합니다. 물음에 답하세요.

파란색 면과 평행한 면의 색을 알아맞혀 봐.

파란색 면과 마주 보는 면을 찾으면 되는 거지?

먼저 큐브의 여섯 면의 색을 모두 알아봐야겠어.

재민

(1) 큐브의 여섯 면의 색을 모두 써 보세요.

(빨간색, 파란색, 노란색, 흰색, 주황색, 초록색)

(2) 큐브에서 파란색 면과 수직인 면의 색을 모두 써 보세요.

(빨간색, 노란색, 흰색, 주황색)

(3) 큐브에서 파란색 면과 평행한 면의 색을 써 보세요.

(초록색)

✤ 여섯 면의 색에서 수직인 면의 색을 제외하면 남은 색은 초록색입니다.

5. 직육면체 · 51

6 평균과 가능성

단원과 관련된 가능성 이야기를 살펴보아요.

일이 일어날 가능성

내일은 민지네 반이 현장 체험 학습을 가는 날입니다. 설레는 마음으로 어떤 간식을 가지고 갈까 생각하고 있던 민지는 선생님의 말씀을 듣고 고민에 빠졌습니다.

내일 현장 체험 학습은 비나 눈이 오면 취소되고 맑거나 흐리면 예정대로 갑니다.

비가 오면 안 되는데……

그럼 내일 취소될 가능성은?

내일의 날씨를 예상해 보면 다음과 같이 4가지 경우로 나타낼 수 있습니다.

맑음　흐림　비　눈

민지네 반 학생들이 현장 체험 학습을 갈 경우는 파란색으로, 가지 못할 경우는 빨간색으로 색칠해 보면 가능성은 각각 반이 나옵니다.

체험 학습을 가지 못할 가능성　　체험 학습을 갈 가능성

52 · Run · C 5-2

그럼 이번엔 '내일은 비가 올까?'에 대한 일이 일어날 가능성을 말로 표현해 볼까요?

이번 주는 계속 비가 왔기 때문에 내일도 비가 올 가능성은 확실해요.

오늘 날씨는 맑지만 일기 예보에서 내일 비가 올 가능성이 높다고 했으니까 내일 비가 올 가능성은 반반이에요.

오늘 날씨가 맑기 때문에 내일 비가 올 가능성은 불가능해요.

정우가 주머니에서 사탕을 하나 꺼내 먹으려고 합니다. 딸기 맛 사탕과 초콜릿 맛 사탕 중에서 초콜릿 맛 사탕을 먹을 가능성이 가장 높은 주머니를 찾아 기호를 써 보세요.

가

나

다

딸기 맛 사탕

초콜릿 맛 사탕

(　다　)

민지네 모둠은 보라색과 초록색을 사용하여 회전판을 만들었습니다. 화살이 보라색에 멈출 가능성이 높은 회전판을 만든 학생부터 차례대로 이름을 써 보세요.

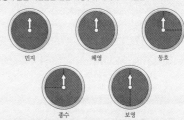

민지　　혜영　　동호

종수　　보영

(민지, 동호, 보영, 종수, 혜영)

✦ 보라색을 칠한 부분의 넓이가 넓을수록 가능성이 높습니다.

6. 평균과 가능성 · 53

1단계 교과서 개념 잡기

개념 1 평균 알아보기

· 평균: 자료의 값을 모두 더해 자료의 수로 나눈 값 → 대표하는 값

학급별 안경을 쓴 학생 수

학급(반)	1	2	3	4	5
학생 수(명)	8	10	9	6	12

(전체 안경을 쓴 학생 수)=8+10+9+6+12=45(명)
(학급 수)=5
→ 45÷5=9이므로 대표적으로 한 학급당 안경을 쓴 학생은 9명이라고 말할 수 있습니다.

(평균)=(자료의 값을 모두 더한 수)÷(자료의 수)

개념 2 평균 구하기

· 자료의 값이 고르게 되도록 모형을 옮겨 평균 구하기

승민이네 모둠이 투호에 넣은 화살 수

이름	승민	나래	진호	가은
넣은 화살 수(개)	5	8	9	6

승민　나래　진호　가은　　승민　나래　진호　가은

→ 승민이네 모둠 친구들이 넣은 화살 수를 고르게 하면 7개가 되므로, 승민이네 모둠이 넣은 화살 수의 평균은 7개입니다.

· 자료의 값을 모두 더하고 자료의 수로 나누어 평균 구하기

희수네 모둠이 접은 종이배 수

이름	희수	민아	수재	경석	재형
접은 종이배 수(개)	26	35	42	29	38

(희수네 모둠이 접은 종이배 수의 합)=26+35+42+29+38=170(개) → 자료의 값을 모두 더한 수
(모둠원의 수)=5
→ (희수네 모둠이 접은 종이배 수의 평균)=170÷5=34(개)

54 · Run · C 5-2

정답과 풀이 p.13

개념 확인 문제

1-1 자료의 값을 모두 더해 자료의 수로 나눈 값을 무엇이라고 할까요?

(　평균　)

✦ (평균)=(자료의 값을 모두 더한 수)÷(자료의 수)

2-1 예서의 제기차기 기록을 나타낸 표입니다. ○를 옮겨 고르게 하여 제기차기 기록의 평균을 구해 보세요.

예서의 제기차기 기록

회	1회	2회	3회	4회
제기차기 기록(개)	2	5	3	6

1회　2회　3회　4회　→　1회　2회　3회　4회

→ 제기차기 기록의 평균은 **4**개입니다.

✦ ○를 옮겨 제기차기 기록을 고르게 하면 ○가 4개씩이므로 제기차기 기록의 평균은 4개입니다.

2-2 정호의 과목별 단원평가 점수를 나타낸 표입니다. 물음에 답하세요.

과목별 단원평가 점수

과목	국어	수학	사회	과학
점수(점)	86	90	88	92

(1) 과목별 단원평가 점수의 합은 몇 점일까요? (　356점　)

✦ (과목별 단원평가 점수의 합)=86+90+88+92=356(점)

(2) 과목별 단원평가 점수의 평균은 몇 점일까요? (　89점　)

✦ (과목별 단원평가 점수의 평균)=356÷4=89(점)

6. 평균과 가능성 · 55

3주 교과서

1 교과서 개념 잡기

개념 **3** 평균 비교하기

모둠 친구 수와 모은 폐지 양

	모둠 1	모둠 2	모둠 3	모둠 4
모둠 친구 수(명)	5	7	6	9
모은 폐지 양(kg)	35	42	48	45

각 모둠의 친구 수가 다르니까 모은 폐지 양으로 비교할 수 없어요!

➡ 모둠별 1인당 모은 폐지 양을 비교하려면 모둠별 모은 폐지 양의 평균을 구합니다.

(모둠별 모은 폐지 양의 평균)=(모둠별 모은 폐지 양)÷(모둠 친구 수)

모은 폐지 양의 평균

	모둠 1	모둠 2	모둠 3	모둠 4
모은 폐지 양의 평균(kg)	7	6	8	5

35÷5   42÷7   48÷6   45÷9

➡ 1인당 모은 폐지 양이 가장 많은 모둠은 평균이 가장 높은 모둠 3입니다.

개념 **4** 평균을 이용하여 문제 해결하기

영주네 모둠 몸무게의 평균이 48 kg일 때 혜영이의 몸무게 구하기

영주네 모둠의 몸무게

이름	영주	민재	승기	혜영
몸무게(kg)	49	47	50	

• (영주네 모둠의 몸무게의 합)=(영주네 모둠의 몸무게의 평균)×(모둠 친구 수)
=48×4=192 (kg)
• (혜영이의 몸무게)=(영주네 모둠의 몸무게의 합)-(나머지 친구들의 몸무게의 합)
영주, 민재, 승기
=192-(49+47+50)
=192-146=46 (kg)

평균을 알 때 모르는 자료의 값을 구하는 방법

(자료의 값을 모두 더한 수)=(평균)×(자료의 수)
➡ (모르는 자료의 값)=(자료의 값을 모두 더한 수)-(아는 자료의 값을 모두 더한 수)

56 · Run - C 5-2

개념 확인 문제

정답과 풀이 p.14

3-1 보미네 반의 모둠별 친구 수와 읽은 책 수를 나타낸 표입니다. 물음에 답하세요.

모둠 친구 수와 읽은 책 수

	모둠 1	모둠 2	모둠 3
모둠 친구 수(명)	4	3	6
읽은 책 수(권)	32	27	42

(1) 각 모둠별 읽은 책 수의 평균을 구하여 표를 완성해 보세요.

읽은 책 수의 평균

	모둠 1	모둠 2	모둠 3
읽은 책 수의 평균(권)	**8**	**9**	**7**

✧ (모둠 1의 평균)=32÷4=8(권), (모둠 2의 평균)=27÷3=9(권), (모둠 3의 평균)=42÷6=7(권)

(2) 1인당 읽은 책 수가 가장 많은 모둠은 어느 모둠일까요?

(**모둠 2**)

✧ 1인당 읽은 책 수의 평균을 비교하면 모둠 2가 가장 많습니다.

4-1 호준이네 학교 5학년 반별 학생 수를 나타낸 표입니다. 5학년 반별 학생 수의 평균이 29명일 때 물음에 답하세요.

5학년 반별 학생 수

반	1반	2반	3반	4반
학생 수(명)	32	28		29

(1) 5학년 반별 학생 수의 합은 몇 명일까요?

(**116명**)

✧ (5학년 반별 학생 수의 합)=29×4=116(명)

(2) 3반 학생은 몇 명일까요?

(**27명**)

✧ (3반 학생 수)=116-(32+28+29)=27(명)

6. 평균과 가능성 · 57

1 교과서 개념 잡기

개념 **5** 일이 일어날 가능성을 말로 표현하기

• 가능성: 어떠한 상황에서 특정한 일이 일어나길 기대할 수 있는 정도
➡ 가능성의 정도는 불가능하다, ~아닐 것 같다, 반반이다, ~일 것 같다, 확실하다 등으로 표현할 수 있습니다.

일이 일어날 가능성이 낮습니다.　　　　일이 일어날 가능성이 높습니다.

~아닐 것 같다　　~일 것 같다

불가능하다　　　반반이다　　　확실하다
가능성이 낮을 때　　　　가능성이 높을 때
가능성이 없을 때

일 ＼ 가능성	불가능하다	~아닐 것 같다	반반이다	~일 것 같다	확실하다
내일은 해가 동쪽에서 뜰 것입니다.					○
동전을 던졌을 때 숫자 면이 나올 것입니다.			○		
주사위를 굴렸을 때 눈의 수가 6보다 큰 수가 나올 것입니다.	○				

개념 **6** 일이 일어날 가능성 비교하기

가　나　다　라　마

	화살이 초록색에 멈출 가능성	화살이 주황색에 멈출 가능성
가	확실하다	불가능하다
나	~일 것 같다	~아닐 것 같다
다	반반이다	반반이다
라	~아닐 것 같다	~일 것 같다
마	불가능하다	확실하다

• 화살이 초록색에 멈출 가능성이 높은 순서: 가-나-다-라-마
• 화살이 주황색에 멈출 가능성이 높은 순서: 마-라-다-나-가

58 · Run - C 5-2

개념 확인 문제

정답과 풀이 p.14

5-1 일이 일어날 가능성을 생각해 보고, 알맞게 표현한 곳에 ○표 하세요.

일 ＼ 가능성	불가능하다	~아닐 것 같다	반반이다	~일 것 같다	확실하다
6월 최저 기온은 영하 4도일 것 같습니다.	○				
㉠ 주사위를 굴릴 때 눈의 수가 4의 약수로 나올 것입니다.			○		
오늘이 월요일이면 내일은 화요일일 것입니다.					○
고리를 한꺼번에 5개 던지면 4개가 걸릴 것입니다.			○		
노란색 구슬 8개, 파란색 구슬 2개가 들어 있는 주머니에서 꺼낸 구슬은 노란색일 것입니다.				○	

✧ ㉠ 주사위 눈의 수는 1부터 6까지 있고 그중에서 4의 약수는 1, 2, 4입니다.
➡ 주사위를 굴렸을 때 눈의 수가 4의 약수로 나올 가능성은 '반반이다'입니다.

6-1 승기, 가은, 혜주, 민수, 주영이는 빨간색과 파란색을 사용하여 각각 회전판을 만들었습니다. 물음에 답하세요.

승기　가은　혜주　민수　주영

(1) 화살이 파란색에 멈추는 것이 불가능한 회전판은 누가 만든 회전판일까요?

✧ 승기가 만든 회전판은 빨간색뿐이므로 (**승기**) 파란색에 멈추는 것이 불가능합니다.

(2) 화살이 파란색에 멈출 가능성과 빨간색에 멈출 가능성이 비슷한 회전판은 누가 만든 회전판일까요?

✧ 주영이가 만든 회전판은 빨간색 부분과 (**주영**) 파란색 부분의 넓이가 같으므로 화살이 파란색에 멈출 가능성과 빨간색에 멈출 가능성이 비슷합니다.

6. 평균과 가능성 · 59

1단계 교과서 개념 잡기

개념 7 일이 일어날 가능성을 수로 표현하기

가능성의 정도에 따라 수로 나타낼 수 있습니다.

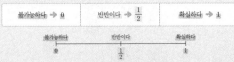

| 불가능하다 → 0 | 반반이다 → $\frac{1}{2}$ | 확실하다 → 1 |

- 회전판을 돌렸을 때 화살이 빨간색에 멈출 가능성을 수로 표현하기

일	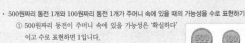		
가능성을 말로 표현하기	확실하다	반반이다	불가능하다
가능성을 수로 표현하기	1	$\frac{1}{2}$	0

- 흰색 바둑돌 1개와 검은색 바둑돌 1개가 들어 있는 주머니에서 바둑돌 1개를 꺼냈을 때의 가능성을 수로 표현하기
① 꺼낸 바둑돌이 흰색 바둑돌일 가능성은 '반반이다'이고 수로 표현하면 $\frac{1}{2}$입니다.
② 꺼낸 바둑돌이 노란색 바둑돌일 가능성은 '불가능하다'이고 수로 표현하면 0입니다.

- 500원짜리 동전 1개와 100원짜리 동전 1개가 주머니 속에 있을 때의 가능성을 수로 표현하기
① 500원짜리 동전이 주머니 속에 있을 가능성은 '확실하다'이고 수로 표현하면 1입니다.
② 10원짜리 동전이 주머니 속에 있을 가능성은 '불가능하다'이고 수로 표현하면 0입니다.

참고 · ~아닐 것 같다 ➡ 0보다 크고 $\frac{1}{2}$보다 작은 수로 표현할 수 있습니다.

· ~일 것 같다 ➡ $\frac{1}{2}$보다 크고 1보다 작은 수로 표현할 수 있습니다.

개념 확인 문제

정답과 풀이 p.15

7-1 보라색 공 1개와 초록색 공 1개가 들어 있는 상자에서 공 한 개를 꺼냈습니다. 물음에 답하세요.

(1) 꺼낸 공이 보라색일 가능성을 수직선에 ↓로 나타내어 보세요.

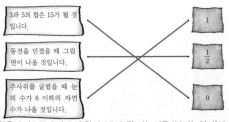

❖ 꺼낸 공이 보라색일 가능성은 '반반이다'이고 수로 표현하면 $\frac{1}{2}$입니다.

(2) 꺼낸 공이 파란색일 가능성을 말과 수로 표현해 보세요.

❖ 상자 안에는 파란색 공이 없으므로 꺼낸 공의 색이 파란색일 가능성을 말로 표현하면 '불가능하다'이고 수로 표현하면 0입니다.

말(**불가능하다**)
수(**0**)

(3) 꺼낸 공이 초록색일 가능성을 수로 표현해 보세요.

($\frac{1}{2}$)

❖ 꺼낸 공이 초록색일 가능성은 '반반이다'이고 수로 표현하면 $\frac{1}{2}$입니다.

7-2 일이 일어날 가능성을 수로 표현한 것을 찾아 이어 보세요.

3과 5의 합은 15가 될 것입니다.		1
동전을 던졌을 때 그림 면이 나올 것입니다.		$\frac{1}{2}$
주사위를 굴렸을 때 눈의 수가 6 이하의 자연수가 나올 것입니다.		0

❖ · 3과 5의 합은 8이므로 3과 5의 합이 15가 될 가능성은 '불가능하다'이고 수로 표현하면 0입니다.
· 동전을 던졌을 때 그림 면이 나올 가능성은 '반반이다'이고 수로 표현하면 $\frac{1}{2}$입니다.
· 주사위를 굴렸을 때 6 이하의 자연수가 나올 가능성은 '확실하다'이고 수로 표현하면 1입니다.

PLAY 교과서 개념 스토리 딸기잼 만들기

딸기 농장에서 딴 딸기로 딸기잼을 만들려고 합니다. 바구니에 담은 딸기 수의 평균이 적힌 딸기잼 붙임딱지를 붙여 보세요.

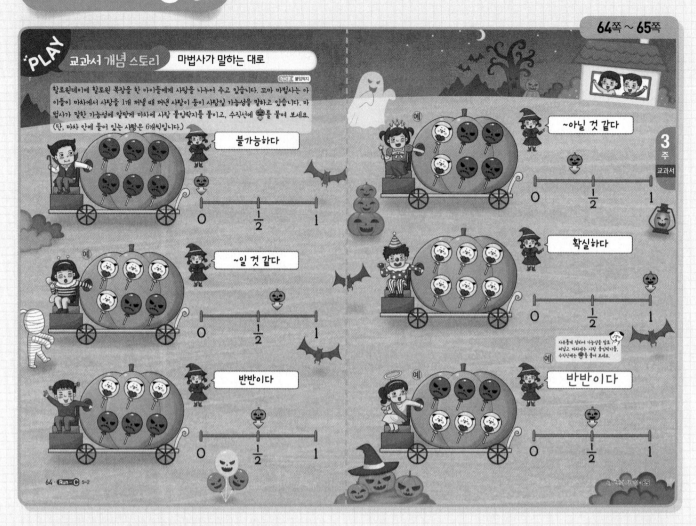

② 교과서 개념 다지기

정답과 풀이 p.16

개념 1 평균 알아보기, 평균 구하기

01 접시에 담긴 딸기 수를 모두 더한 값 24를 접시의 수 4로 나눈 수는 6입니다. 대표적으로 한 접시당 딸기는 몇 개 담겨 있다고 말할 수 있을까요?

(**6개**)

✿ 자료의 값의 합 24를 자료의 수 4로 나눈 수 6은 한 접시당 담긴 딸기의 수를 대표하는 값(평균)입니다.

02 시형이가 5일 동안 먹은 아몬드 수를 나타낸 표입니다. 물음에 답하세요.

5일 동안 먹은 아몬드 수

요일	월	화	수	목	금
먹은 아몬드 수(개)	7	9	11	6	12

(1) 시형이가 5일 동안 먹은 아몬드 수의 합은 몇 개일까요?
✿ (5일 동안 먹은 아몬드 수의 합)   (**45개**)
   =7+9+11+6+12=45(개)

(2) 시형이가 5일 동안 먹은 아몬드 수의 평균은 몇 개일까요?
✿ (5일 동안 먹은 아몬드 수의 평균)   (**9개**)
   =45÷5=9(개)

03 주희네 모둠 학생들이 모은 칭찬 붙임딱지 수를 나타낸 표입니다. 주희네 모둠의 칭찬 붙임딱지 수의 평균은 몇 장일까요?

주희네 모둠의 칭찬 붙임딱지 수

이름	주희	보영	준호	명철
칭찬 붙임딱지 수(장)	31	27	29	25

(**28장**)

✿ (칭찬 붙임딱지 수의 평균)=(31+27+29+25)÷4
   =112÷4=28(장)

개념 2 여러 가지 방법으로 평균 구하기

04 지우가 월별로 운동을 한 횟수를 나타낸 표를 보고 운동을 한 횟수만큼 ○를 그려 나타내었습니다. ○를 옮겨 고르게 하여 운동을 한 횟수의 평균을 구해 보세요.

월별로 운동을 한 횟수

월	8월	9월	10월	11월
횟수(번)	6	7	4	3

(**5번**)

✿ ○를 옮겨 운동을 한 횟수를 고르게 만들면 ○가 5개씩입니다. 따라서 지우가 월별로 운동을 한 횟수의 평균은 5번입니다.

05 진수네 모둠의 윗몸 말아 올리기 기록을 나타낸 표를 보고 평균을 여러 가지 방법으로 구해 보세요.

진수네 모둠의 윗몸 말아 올리기 기록

이름	진수	혜영	채연	동진
윗몸 말아 올리기 기록(회)	40	34	30	24

방법 1 각 자료의 값을 고르게 하여 평균 구하기
예) 평균을 32회로 예상한 후 (40, 24), (34, 30)으로 수를 옮기고 짝 지어 자료의 값을 고르게 하여 구한 평균은 32회입니다.

방법 2 자료의 값을 모두 더한 후 자료의 수로 나누어 평균 구하기
예) (40+34+30+24)÷4=128÷4=32(회)

✿ **방법 1**은 평균을 예상하고, 예상한 평균에 맞춰 각 자료의 값을 고르게 하여 평균을 구하는 방법이고, **방법 2**는 자료의 값을 모두 더한 후 자료의 수로 나누어 평균을 구하는 방법입니다.

② 단계 교과서 개념 다지기

개념3 평균을 이용하여 문제 해결하기

06 민지가 하루에 공부한 시간의 평균이 70분일 때 7월 한 달 동안 공부한 시간은 모두 몇 분 인지 구해 보세요. (단, 7월 한 달 동안 하루도 빠지지 않고 공부했습니다.)

(**2170분**)

❖ 7월은 31일까지 있습니다.
➡ (7월 한 달 동안 공부한 시간)=70×31=2170(분)

07 호준이네 마을의 과수원별 사과 생산량을 나타낸 표입니다. 과수원별 사과 생산량의 평균이 253 kg일 때 나 과수원의 사과 생산량은 몇 kg인지 구해 보세요.

과수원별 사과 생산량

과수원	가	나	다	라
생산량(kg)	128		257	287

(**340 kg**)

❖ (과수원별 사과 생산량의 합)=253×4=1012 (kg)
➡ (나 과수원의 사과 생산량)=1012−(128+257+287)
=340 (kg)

08 혜주네 반 학생들의 모둠별 턱걸이 기록을 나타낸 표입니다. 1인당 턱걸이 수가 많은 모둠 부터 차례로 써 보세요.

모둠별 턱걸이 기록

모둠	모둠 1	모둠 2	모둠 3
모둠 친구 수(명)	7	6	8
턱걸이 기록(개)	56	54	56

(**모둠 2, 모둠 1, 모둠 3**)

❖ (모둠 1의 턱걸이 기록의 평균)=56÷7=8(개)
(모둠 2의 턱걸이 기록의 평균)=54÷6=9(개)
(모둠 3의 턱걸이 기록의 평균)=56÷8=7(개)
➡ 평균을 비교하면 9개>8개>7개이므로 1인당 턱걸이 수가 많은 모둠부터 차례로 쓰면 모둠 2, 모둠 1, 모둠 3입니다.

개념4 일이 일어날 가능성을 말로 표현하기

09 일이 일어날 가능성을 찾아 이어 보세요.

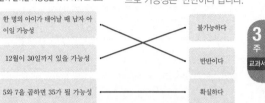

• 한 명의 아이가 태어났을 때 여자 아이 또는 남자 아이가 태어날 수 있으므로 가능성은 '반반이다'입니다.

• 12월은 31일까지 있으므로 12월이 30일까지 있을 가능성은 '불가능하다'입니다.
• 5와 7을 곱하면 35이므로 5와 7을 곱해서 35가 될 가능성은 '확실하다'입니다.

10 일이 일어날 가능성이 확실한 것을 찾아 기호를 써 보세요.

㉠ 해가 서쪽에서 뜰 것입니다.
㉡ 금요일 다음에 토요일이 올 것입니다.
㉢ 주사위를 굴려서 나온 눈의 수가 홀수일 것입니다.

(**㉡**)

❖ ㉠ 해는 동쪽에서 뜨므로 해가 서쪽에서 뜰 가능성은 '불가능하다'입니다.
㉢ 주사위에는 1부터 6까지의 눈이 있고 그중에서 1, 3, 5는 홀수이고, 2, 4, 6은 짝수입니다. 따라서 주사위를 굴려서 나온 눈의 수가 홀수일 가능성은 '반반이다'입니다.

11 4장의 수 카드 중에서 한 장을 뽑을 때 수 카드의 수가 2의 배수일 가능성을 말로 표현해 보세요.

 1 2 4 5

(**반반이다**)

❖ 4장의 수 카드 중에서 2의 배수는 2, 4로 2가지입니다. 따라서 뽑은 수 카드의 수가 2의 배수일 가능성은 '반반이다' 입니다.

---

② 단계 교과서 개념 다지기

개념5 일이 일어날 가능성 비교하기

12 화살이 빨간색에 멈출 가능성이 가장 높은 회전판을 찾아 기호를 써 보세요.

가 나 다

(**다**)

❖ 가: 반반이다, 나: ~일 것 같다, 다: 확실하다
따라서 화살이 빨간색에 멈출 가능성이 가장 높은 회전판은 다입니다.

13 화살이 초록색에 멈출 가능성이 낮은 회전판부터 차례대로 기호를 써 보세요.

가 나 다

(**다, 나, 가**)

❖ 가: ~일 것 같다, 나: 반반이다, 다: ~아닐 것 같다
따라서 화살이 초록색에 멈출 가능성이 낮은 회전판부터 차례대로 쓰면 다, 나, 가입니다.

14 동전 한 개를 던져서 숫자 면이 나올 가능성과 회전판을 돌릴 때 화살이 파란색에 멈출 가능성이 같은 회전판을 만든 사람은 누구인지 써 보세요.

지우 혜미

(**지우**)

❖ 동전을 한 개 던져서 숫자 면이 나올 가능성은 '반반이다'입니다.
• 지우: 전체 4칸 중 파란색이 2칸, 보라색이 2칸이므로 화살이 파란색에 멈출 가능성은 '반반이다'입니다.
• 혜미: 전체 4칸 중 보라색이 3칸, 파란색이 1칸이므로 화살이 파란색에 멈출 가능성은 '~아닐 것 같다'입니다.

개념6 일이 일어날 가능성을 수로 표현하기

15 회전판을 돌릴 때 화살이 주황색에 멈출 가능성을 수로 표현하려고 합니다. ☐ 안에 알맞은 수를 써넣으세요.

0 — $\frac{1}{2}$ — 1

❖ '불가능하다'는 0으로, '반반이다'는 $\frac{1}{2}$로, '확실하다'는 1로 표현할 수 있습니다.

16 일이 일어날 가능성을 수로 표현해 보세요.

올해 10살인 진주는 내년에는 11살이 될 것입니다.

(**1**)

❖ 올해 10살인 진주가 내년에 11살이 될 가능성은 '확실하다'이 므로 수로 표현하면 1입니다.

17 주머니 속에 왼쪽과 같이 구슬이 들어 있습니다. 주머니에서 구슬 한 개를 꺼낼 때 파란색 구슬일 가능성을 찾아 이어 보세요.

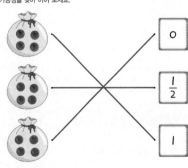

0

$\frac{1}{2}$

1

③ 교과서 실력 다지기

★ 평균을 이용하여 모르는 자료의 값 구하기

1 주어진 6개 수의 평균이 6일 때, ♥에 알맞은 수를 구해 보세요.

$$7 \quad 5 \quad ♥ \quad 9 \quad 3 \quad 5$$

⊜ __7__

개념 피드백
• 평균을 이용하여 모르는 자료의 값 구하기
① (전체 자료의 값을 모두 더한 수)=(평균)×(자료의 수)
② (모르는 자료의 값)=(전체 자료의 값을 모두 더한 수)−(아는 자료의 값을 모두 더한 수)

✤ (전체 수의 합)=$6 \times 6 = 36$
➡ ♥=$36-(7+5+9+3+5)=7$

1-1 주어진 7개 수의 평균이 9일 때, ★에 알맞은 수를 구해 보세요.

$$11 \quad 4 \quad 6 \quad ★ \quad 7 \quad 13 \quad 10$$

(__12__)

✤ (전체 수의 합)=$9 \times 7 = 63$
➡ ★=$63-(11+4+6+7+13+10)=12$

1-2 주어진 5개 수의 평균이 34일 때, ♣에 알맞은 수를 구해 보세요.

$$36 \quad ♣ \quad 29 \quad 40 \quad 31$$

(__34__)

✤ (전체 수의 합)=$34 \times 5 = 170$
➡ ♣=$170-(36+29+40+31)=34$

72 · Run - C 5-2

✤ • 주사위를 굴리면 주사위 눈의 수가 2 이상으로 나올 가능성은 '~일 것 같다'입니다. *정답과 풀이 p.18*

★ 일이 일어날 가능성 비교하기

2 일이 일어날 가능성이 더 높은 것을 말한 친구의 이름을 써 보세요.

> **예지**: 주사위를 굴리면 주사위 눈의 수가 2 이상으로 나올 것입니다.

> **현서**: ○× 문제에서 문제의 정답이 ○일 것입니다.

⊜ __예지__

개념 피드백
• 일이 일어날 가능성 비교하기
일이 일어날 가능성에 대한 판단이 논리적인 경우에는 옳은 것으로 인정해 줍니다.
• 일이 일어날 가능성이 높은 순서
확실하다 ➡ ~일 것 같다 ➡ 반반이다 ➡ ~아닐 것 같다 ➡ 불가능하다

• ○× 문제에서 ○가 정답일 가능성은 '반반이다'입니다.
따라서 가능성이 더 높은 것을 말한 친구는 예지입니다.

2-1 일이 일어날 가능성이 낮은 것부터 차례대로 기호를 써 보세요.

> ㉠ 초록색 공 5개가 들어 있는 주머니에서 공 1개를 꺼낼 때 꺼낸 공이 노란색일 것입니다.
> ㉡ 내일은 해가 동쪽에서 뜰 것입니다.
> ㉢ 내년 6월에는 올해 6월보다 비가 많이 올 것입니다.

✤ ㉠ 불가능하다 ㉡ 확실하다 ㉢ 반반이다 (㉠, ㉢, ㉡)

2-2 일이 일어날 가능성이 높은 것부터 차례대로 기호를 써 보세요.

> ㉠ 흰색 바둑돌만 들어 있는 상자에서 바둑돌 1개를 꺼낼 때 꺼낸 바둑돌이 흰색일 것입니다.
> ㉡ 1부터 10까지 쓰여 있는 수 카드 10장 중에서 1장을 뽑으면 2의 배수일 것입니다.
> ㉢ 빨간색 공 4개, 파란색 공 2개가 들어 있는 주머니에서 공 1개를 꺼낼 때 꺼낸 공이 빨간색일 것입니다.

✤ ㉠ 확실하다 ㉡ 반반이다 (㉠, ㉢, ㉡)
㉢ ~일 것 같다

6. 평균과 가능성 · 73

---

③ 교과서 실력 다지기

★ 자료의 값과 평균 비교하기

3 재민이네 마을의 과수원별 포도 생산량을 나타낸 표입니다. 포도 생산량이 평균보다 많은 과수원을 모두 찾아 기호를 써 보세요.

과수원별 포도 생산량

과수원	가	나	다	라
생산량(kg)	144	167	150	135

⊜ __나, 다__

개념 피드백
자료의 값과 평균 비교하기
• (자료의 값) > (평균) ➡ 자료의 값이 평균보다 많은 편, 큰 편, 높은 편입니다.
• (자료의 값) < (평균) ➡ 자료의 값이 평균보다 적은 편, 작은 편, 낮은 편입니다.

✤ (과수원별 포도 생산량의 평균)=$(144+167+150+135) \div 4$
$= 596 \div 4 = 149$ (kg)

3-1 따라서 포도 생산량이 평균보다 많은 과수원은 나, 다입니다.
명호네 모둠의 국어 점수를 나타낸 표입니다. 평균보다 점수가 낮은 학생은 재시험을 본다고 합니다. 재시험을 보는 학생의 이름을 모두 써 보세요.

명호네 모둠의 국어 점수

이름	명호	재희	나래	가영
점수(점)	85	88	87	84

(__명호, 가영__)

✤ (명호네 모둠의 국어 점수의 평균)=$(85+88+87+84) \div 4$
$= 344 \div 4 = 86$(점)

3-2 따라서 평균보다 점수가 낮아 재시험을 보는 학생은 명호, 가영입니다.
윤아네 모둠의 타자 기록을 나타낸 표입니다. 평균보다 타수가 많은 학생은 상급반으로 올라갈 수 있습니다. 상급반으로 올라가는 학생의 이름을 모두 써 보세요.

윤아네 모둠의 타자 기록

이름	윤아	혜수	동진	영훈
기록(타)	395	388	391	386

(__윤아, 동진__)

✤ (윤아네 모둠의 타자 기록의 평균)=$(395+388+391+386) \div 4$
$= 1560 \div 4 = 390$(타)

74 · Run - C 5-2 따라서 평균보다 타수가 많은 학생은 윤아, 동진입니다.

정답과 풀이 p.18

★ 평균으로 자료 값의 합 구하기

4 가은이네 반 학생은 34명입니다. 가은이네 반 학생들이 가지고 있는 동화책 수의 평균이 8권일 때, 가은이네 반 학생들이 가지고 있는 동화책 수는 모두 몇 권일까요?

⊜ __272권__

개념 피드백
(평균)=(자료의 값을 모두 더한 수)÷(자료의 수)
➡ (자료의 값을 모두 더한 수)=(평균)×(자료의 수)

✤ (가은이네 반 학생들이 가지고 있는 동화책 수의 합)
$= 8 \times 34 = 272$(권)

4-1 어느 블로그의 하루 방문객 수의 평균은 112명입니다. 일주일 동안 이 블로그에 방문한 사람 수는 모두 몇 명일까요?

> 블로그란 보통사람들이 자신의 관심사에 따라 자유롭게 글을 올릴 수 있는 웹사이트예요.

(__784명__)

✤ (블로그의 일주일 방문객 수의 합)
$= 112 \times 7 = 784$(명)

4-2 어느 해 11월 한 달 동안 최고 기온의 평균이 9 °C였습니다. 이 해의 11월 한 달 동안 최고 기온의 합은 몇 °C일까요?

(__270 °C__)

✤ 11월은 30일까지 있습니다.
(11월 한 달 동안 최고 기온의 합)=$9 \times 30 = 270$ (°C)

4-3 어느 공장에서 냉장고를 하루 평균 97대씩 만든다고 합니다. 이 공장에서 11월과 12월 두 달 동안 쉬지 않고 냉장고를 만든다면 모두 몇 대의 냉장고를 만들 수 있을까요?

(__5917대__)

✤ 11월은 30일, 12월은 31일까지 있습니다.
(날수의 합)=$30+31=61$(일)
➡ (두 달 동안 만든 냉장고 수의 합)=$97 \times 61 = 5917$(대)

6. 평균과 가능성 · 75

 교과서 **실력 다지기**

정답과 풀이 p.19

★ 자료의 수가 늘어났을 때의 전체 평균 구하기

5 어느 도넛 가게에서 월요일부터 토요일까지 도넛이 하루 평균 48개 팔렸다고 합니다. 일요일에 도넛이 69개 팔렸다면 일주일 동안 도넛 판매량은 하루 평균 몇 개일까요?

답 **51개**

개념 리드하기
① 월요일부터 토요일까지의 도넛 판매량의 합을 구합니다.
② ①에서 구한 자료 값의 합에 일요일의 도넛 판매량을 더한 후 자료의 수로 나누어 전체 평균을 구합니다.

❖ (월요일부터 토요일까지의 도넛 판매량의 합)=48×6=288(개)
➜ (일주일 동안 도넛 판매량의 평균)
=(288+69)÷7=357÷7=51(개)

5-1 정민이의 국어, 수학, 사회 점수의 평균은 82점입니다. 과학 점수는 90점이라면 네 과목의 점수의 평균은 몇 점일까요?

(**84점**)

❖ (세 과목의 점수의 합)=82×3=246(점)
➜ (네 과목의 점수의 평균)=(246+90)÷4
=336÷4=84(점)

5-2 주영, 홍렬, 민정, 지훈 네 사람의 몸무게의 평균은 51 kg입니다. 지민이의 몸무게는 46 kg이라면 다섯 사람의 몸무게의 평균은 몇 kg일까요?

(**50 kg**)

❖ (네 사람의 몸무게의 합)=51×4=204 (kg)
➜ (다섯 사람의 몸무게의 평균)
=(204+46)÷5=250÷5=50 (kg)

5-3 서준이가 월요일부터 금요일까지 5일 동안 컴퓨터를 하루 평균 37분 사용했습니다. 토요일에 컴퓨터를 31분 사용했다면 6일 동안 컴퓨터를 사용한 시간은 하루 평균 몇 분일까요?

(**36분**)

❖ (5일 동안 컴퓨터를 사용한 시간의 합)=37×5=185(분)
➜ (6일 동안 컴퓨터를 사용한 시간의 평균)
=(185+31)÷6=216÷6=36(분)

★ 조건에 알맞게 회전판 색칠하기

6 조건 에 알맞은 회전판이 되도록 색칠해 보세요. (단, 경계선에 멈추는 경우는 생각하지 않습니다.)

조건
• 화살이 빨간색에 멈출 가능성이 가장 높습니다.
• 화살이 파란색에 멈출 가능성은 노란색에 멈출 가능성의 3배입니다.

노란색
빨간색 파란색

개념 리드하기
• 가능성이 가장 높은 색이 회전판에서 가장 넓은 곳입니다.
• 가능성이 가장 낮은 색이 회전판에서 가장 좁은 곳입니다.

❖ 화살이 빨간색에 멈출 가능성이 가장 높기 때문에 가장 넓은 곳이 빨간색이 됩니다. 화살이 파란색에 멈출 가능성이 노란색의 3배이므로 노란색을 색칠한 다음으로 파란색을 색칠하고, 가장 넓은 부분에 빨간색을 색칠하면 됩니다.

6-1 조건 에 알맞은 회전판이 되도록 색칠해 보세요. (단, 경계선에 멈추는 경우는 생각하지 않습니다.)

조건
• 화살이 노란색에 멈출 가능성이 가장 높습니다.
• 화살이 빨간색에 멈출 가능성은 파란색에 멈출 가능성의 2배입니다.

파란색
빨간색 노란색

❖ 화살이 노란색에 멈출 가능성이 가장 높기 때문에 가장 넓은 곳이 노란색이 됩니다. 화살이 빨간색에 멈출 가능성이 파란색의 2배이므로 파란색을 색칠한 다음으로 빨간색을 색칠하고, 가장 넓은 부분에 노란색을 색칠하면 됩니다.

Test 교과서 **서술형 연습**

정답과 풀이 p.19

1 혜수의 과목별 단원평가 점수를 나타낸 표입니다. 혜수의 단원평가 점수의 평균이 89점일 때 단원평가 점수가 가장 높은 과목은 무엇인지 써 보세요.

과목별 단원평가 점수

과목	국어	수학	사회	과학
점수(점)	90	88		86

구하려는 것, 주어진 것에 선을 그어 봅니다.

해결하기 네 과목의 단원평가 점수의 합 =89×4=356(점)
(사회 단원평가 점수)=356-(90+88+86)=92(점)
따라서 단원평가 점수가 가장 높은 과목은 사회입니다.

답 구하기 **사회**

2 승기네 모둠의 공 던지기 기록을 나타낸 표입니다. 승기네 모둠의 공 던지기 기록의 평균이 22 m일 때, 공 던지기 기록이 가장 낮은 사람은 누구인지 써 보세요.

주어진 것

승기네 모둠의 공 던지기 기록

이름	승기	나영	은수	민철
기록(m)	25		20	22

구하려는 것, 주어진 것에 선을 그어 봅니다.

해결하기 예 (승기네 모둠의 공 던지기 기록의 합)
=22×4=88 (m)
(나영이의 공 던지기 기록)
=88-(25+20+22)
=21 (m)

답 구하기 **은수**

따라서 공 던지기 기록이 가장 낮은 사람은 은수입니다.

3 4장의 수 카드 중에서 한 장을 뽑을 때 수 카드의 수가 홀수일 가능성을 수로 표현해 보세요.

0 1 3 4

해결하기 4장의 수 카드 중 수 카드의 수가 홀수인 경우는 1, 3으로 2가지입니다.
따라서 뽑은 수 카드의 수가 홀수일 가능성은 **반반이다**이고 수로 표현하면 $\frac{1}{2}$ 입니다.

답 구하기 $\frac{1}{2}$

4 4장의 수 카드 중에서 한 장을 뽑을 때 수 카드의 수가 짝수일 가능성을 수로 표현해 보세요.

2 4 6 8

해결하기 예 **4장의 수 카드 중 수 카드의 수가 짝수인 경우는 2, 4, 6, 8로 4가지입니다.**
따라서 뽑은 수 카드의 수가 짝수일 가능성은 '확실하다'이고 수로 표현하면 1입니다.

답 구하기 **1**

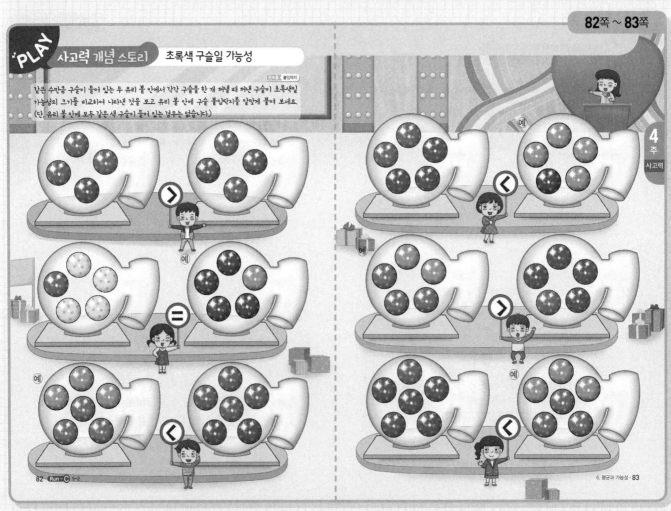

1단계 교과 사고력 잡기

정답과 풀이 p.21

1 준영이네 반 남학생과 여학생의 키의 평균을 나타낸 표입니다. 준영이네 반 전체 학생들의 키의 평균은 몇 cm인지 구해 보세요.

키의 평균

남학생 14명 키의 평균	147 cm
여학생 16명 키의 평균	132 cm

1 남학생 14명의 키의 합은 몇 cm일까요?
(**2058 cm**)

❖ (남학생 14명의 키의 합)=147×14=2058 (cm)

2 여학생 16명의 키의 합은 몇 cm일까요?
(**2112 cm**)

❖ (여학생 16명의 키의 합)=132×16=2112 (cm)

3 준영이네 반 전체 학생들의 키의 평균은 몇 cm일까요?
(**139 cm**)

❖ (전체 학생 수)=14+16=30(명)
➔ (준영이네 반 전체 학생들의 키의 평균)

84 · Run-C 5-2 =(2058+2112)÷30=4170÷30=139 (cm)

2 3장의 수 카드 중에서 2장을 골라 한 번씩만 사용하여 두 자리 수를 만들었습니다. 만든 두 자리 수가 5의 배수일 가능성을 수로 표현해 보세요.

> 만들 수 있는 두 자리 수가 5의 배수일 가능성을 수로 표현하는 문제예요.

1 수 카드로 만들 수 있는 두 자리 수를 모두 써 보세요.
(**35, 37, 53, 57, 73, 75**)

2 □ 안에 알맞은 수를 써넣고 **1**에서 만든 두 자리 수 중에서 5의 배수는 몇 개인지 구해 보세요.

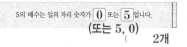
5의 배수는 일의 자리 숫자가 **0** 또는 **5** 입니다.
(또는 5, 0)
(**2개**)

❖ 5의 배수: 35, 75 ➔ 2개

3 만든 두 자리 수가 5의 배수일 가능성을 수로 표현해 보세요.
($\frac{1}{3}$)

❖ 주어진 수 카드로 만들 수 있는 두 자리 수는 6개이고, 그중에서 5의 배수는 2개입니다.
➔ 만든 두 자리 수가 5의 배수일 가능성은 $\frac{1}{3}\left(=\frac{2}{6}\right)$입니다.

6. 평균과 가능성 · 85

1단계 교과 사고력 잡기

3 다음은 지원이의 단원평가 점수를 입력한 성적표입니다. 잘못 입력하여 사회 점수의 십의 자리 숫자와 일의 자리 숫자가 바뀌었습니다. 원래의 단원평가 점수의 평균은 잘못 입력한 단원평가 점수의 평균보다 몇 점 더 높은지 구해 보세요.

단원평가 점수

과목	국어	수학	사회	과학
점수(점)	90	94	48	76

지원

1 잘못 입력한 성적표에서 단원평가 점수의 평균은 몇 점일까요?
(**77점**)

❖ (잘못 입력한 단원평가 점수의 평균)=(90+94+48+76)÷4
=308÷4=77(점)

2 원래의 사회 단원평가 점수는 몇 점일까요?
(**84점**)

❖ 사회: 48점 ➔ 84점

3 원래의 단원평가 점수의 평균은 몇 점일까요?
(**86점**)

❖ (원래의 단원평가 점수의 평균)=(90+94+84+76)÷4
=344÷4=86(점)

4 원래의 단원평가 점수의 평균은 잘못 입력한 단원평가 점수의 평균보다 몇 점 더 높을까요?
(**9점**)

❖ 86-77=9(점)

86 · Run-C 5-2

➔ 주사위를 굴리면 주사위 눈의 수가 항상 1, 2, 3, 4, 5, 6 중 하나로 나옵니다. 2의 배수인 2, 4, 6이 나올 가능성은 '반반이다'이며, 수로 표현하면 $\frac{1}{2}\left(=\frac{3}{6}\right)$입니다.

4 친구들이 주사위 놀이를 하고 있습니다. 1부터 6까지의 눈이 그려진 주사위를 한 번 굴릴 때 일이 일어날 가능성이 높은 것을 말한 친구부터 차례대로 이름을 써 보세요.

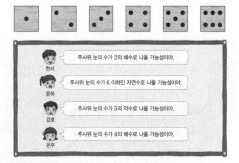

현서: 주사위 눈의 수가 2의 배수로 나올 가능성이야.
윤하: 주사위 눈의 수가 6 이하인 자연수로 나올 가능성이야.
강호: 주사위 눈의 수가 5의 약수로 나올 가능성이야.
은주: 주사위 눈의 수가 4의 배수로 나올 가능성이야.

1 현서가 말한 일이 일어날 가능성을 수로 표현해 보세요.
($\frac{1}{2}$)

2 윤하가 말한 일이 일어날 가능성을 수로 표현해 보세요.
(**1**)
❖ 6 이하인 자연수인 1, 2, 3, 4, 5, 6이 나올 가능성은 '확실하다'이므로 수로 표현하면 1입니다.

3 강호가 말한 일이 일어날 가능성을 수로 표현해 보세요.
($\frac{1}{3}$)
❖ 5의 약수 1, 5가 나올 가능성을 수로 표현하면 전체의 $\frac{1}{3}\left(=\frac{2}{6}\right)$입니다.

4 은주가 말한 일이 일어날 가능성을 수로 표현해 보세요.
($\frac{1}{6}$)
❖ 4의 배수인 4가 나올 가능성을 수로 표현하면 전체의 $\frac{1}{6}$입니다.

5 일이 일어날 가능성이 높은 것을 말한 친구부터 차례대로 이름을 써 보세요.
(**윤하, 현서, 강호, 은주**)

❖ $1 > \frac{1}{2} > \frac{1}{3} > \frac{1}{6}$이므로 일이 일어날 가능성이 높은 것을 말한 친구부터 쓰면 윤하, 현서, 강호, 은주입니다.

6. 평균과 가능성 · 87

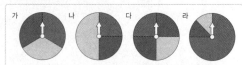

❖ ❶ 회전판에서 빨간색, 노란색, 파란색은 각각 전체의 $\frac{1}{3}$이므로 화살이 멈춘 횟수가 빨강 33회, 노랑 34회, 파랑 33회인 표와 일이 일어날 가능성이 가장 비슷합니다.

❷ 회전판에서 노란색은 전체의 $\frac{1}{2}$이고, 파란색과 빨간색은 각각

전체의 $\frac{1}{4}$이므로 화살이 멈춘 횟수가 빨강 26회, 노랑 50회, 파랑 24회인 표와 일이 일어날 가능성이 가장 비슷합니다.

88쪽 ~ 89쪽

정답과 풀이 p.22

2단계 교과 사고력 확장

1 준서는 놀이공원에서 그림 맞히기 게임을 하고 있습니다. 그림 맞히기 게임에서는 공을 던졌을 때 맞힌 그림에 있는 물건을 상품으로 준다고 합니다. 준서가 펭귄 인형을 맞힐 가능성을 수로 표현해 보세요. (단, 그림을 맞히지 못하거나 경계선에 맞히는 경우는 없습니다.)

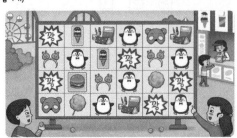

❶ 그림판에 있는 그림은 모두 몇 개일까요?

(**24개**)

❷ 펭귄 인형이 있는 그림은 몇 개일까요?

(**6개**)

❸ 준서가 펭귄 인형을 맞힐 가능성을 수로 표현해 보세요.

($\frac{1}{4}$)

❖ 그림판에 있는 그림은 모두 24개이고 그중 펭귄 인형이 있는 그림은 6개이므로 준서가 펭귄 인형을 맞힐 가능성을 수로 표현하면 $\frac{1}{4}\left(=\frac{6}{24}\right)$입니다.

2 4명의 친구들이 각자 회전판을 100회 돌려 화살이 멈춘 횟수를 표로 나타내었습니다. 빨간색, 노란색, 파란색으로 이루어진 회전판과 일이 일어날 가능성이 가장 비슷한 표를 만든 친구를 찾아 이름을 써 보세요.

가 나 다 라

현서	색깔	빨강	노랑	파랑
	횟수(회)	12	13	75

예지	색깔	빨강	노랑	파랑
	횟수(회)	33	34	33

강호	색깔	빨강	노랑	파랑
	횟수(회)	26	50	24

윤하	색깔	빨강	노랑	파랑
	횟수(회)	49	25	26

❖ 회전판에서 빨간색은 전체의 $\frac{1}{2}$이고, 파란색과 노란색은 각각 전체의 $\frac{1}{4}$이므로 화살이 멈춘 횟수가 빨강 49회, 노랑 25회, 파랑 26회인 표와 일이 일어날 가능성이 가장 비슷합니다.

❶ 회전판 가와 일이 일어날 가능성이 가장 비슷한 표를 만든 친구의 이름을 써 보세요.

(**예지**)

❷ 회전판 나와 일이 일어날 가능성이 가장 비슷한 표를 만든 친구의 이름을 써 보세요.

(**강호**)

❸ 회전판 다와 일이 일어날 가능성이 가장 비슷한 표를 만든 친구의 이름을 써 보세요.

(**윤하**)

❹ 회전판 라와 일이 일어날 가능성이 가장 비슷한 표를 만든 친구의 이름을 써 보세요.

(**현서**)

❖ 회전판에서 파란색은 전체의 $\frac{3}{4}$이고, 노란색과 빨간색은 각각 전체의 $\frac{1}{8}$이므로 화살이 멈춘 횟수가 빨강 12회, 노랑 13회, 파랑 75회인 표와 일이 일어날 가능성이 가장 비슷합니다.

90쪽 ~ 91쪽

정답과 풀이 p.22

2단계 교과 사고력 확장

3 영진이네 모둠의 윗몸 말아 올리기 기록을 나타낸 표입니다. 모둠에 학생 한 명이 새로 들어와서 윗몸 말아 올리기 기록의 평균이 1회 늘어났습니다. 새로 들어온 학생의 윗몸 말아 올리기 기록은 몇 회인지 구해 보세요.

영진이네 모둠의 윗몸 말아 올리기 기록

이름	영진	승희	민재	민준
기록(회)	31	29	25	39

우리 모둠에 한 명 더 들어와서 평균이 1회 늘어났어.

〈즐거운 체육시간〉

❶ 처음 영진이네 모둠 4명의 윗몸 말아 올리기 기록의 평균은 몇 회일까요?

(**31회**)

❖ (처음 영진이네 모둠의 윗몸 말아 올리기 기록의 평균)
$=(31+29+25+39)\div4=124\div4=31$(회)

❷ 모둠에 학생 한 명이 새로 들어와서 기록의 평균이 1회 늘어났습니다. 윗몸 말아 올리기 기록의 합은 몇 회 더 늘어났을까요?

(**5회**)

❖ 평균이 1회 늘어났으므로 기록의 합은
(늘어난 평균)×(자료의 수)$=1\times5=5$(회) 더 늘어났습니다.

❸ 새로 들어온 학생의 윗몸 말아 올리기 기록은 몇 회일까요?

(**36회**)

❖ $31+5=36$(회)

4 그림과 같이 한 변의 길이가 1 cm인 정사각형 ㄱㄴㄷㄹ이 있습니다. 주사위를 한 번 굴릴 때 나온 주사위 눈의 수만큼 ★ 모양이 점 ㄱ에서 출발하여 시계 반대 방향으로 변을 따라 한 칸씩 움직입니다. ★ 모양이 점 ㄱ에서 출발하여 점 ㄷ에 멈출 가능성을 수로 표현해 보세요.

주사위 눈의 수가 1이면 점 ㄱ에서 점 ㄴ까지의 칸을, 눈의 수가 2이면 점 ㄱ에서 점 ㄷ까지 두 칸을 움직이면 돼요.

❶ 주사위를 한 번 굴릴 때 나올 수 있는 눈의 수는 몇 가지일까요?

(**6가지**)

❖ 1, 2, 3, 4, 5, 6 ➡ 6가지

❷ ★ 모양이 점 ㄱ에서 출발하여 점 ㄷ에 멈추려면 주사위 눈의 수는 얼마여야 하는지 모두 써 보세요.

(**2, 6**)

❖ 점 ㄱ에서 출발하여 점 ㄷ에 멈추려면 변을 2칸, 6칸 움직이면 되므로 주사위 눈의 수는 2, 6이어야 합니다.

❸ ❷에서 구한 눈이 나올 수 있는 경우는 몇 가지일까요?

(**2가지**)

❖ 2, 6 ➡ 2가지

❹ ★ 모양이 점 ㄱ에서 출발하여 점 ㄷ에 멈출 가능성을 수로 표현해 보세요.

($\frac{1}{3}$)

❖ 주사위를 한 번 굴릴 때 나올 수 있는 모든 경우 6가지 중에 2, 6이 나올 경우는 2가지이므로 가능성을 수로 표현하면
$\frac{1}{3}\left(=\frac{2}{6}\right)$입니다.

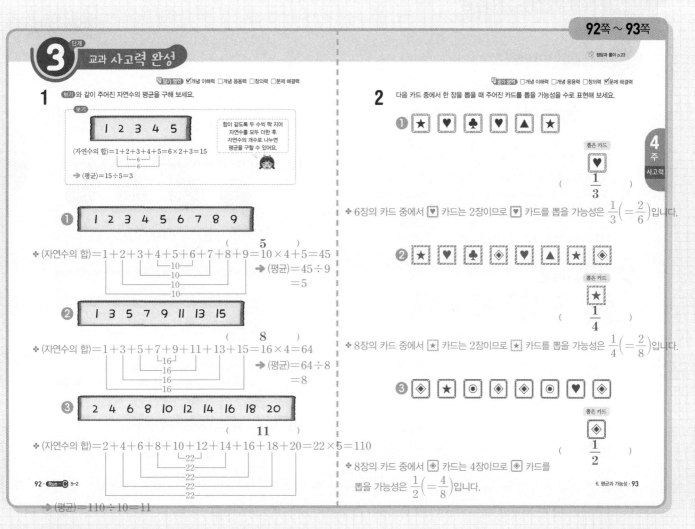

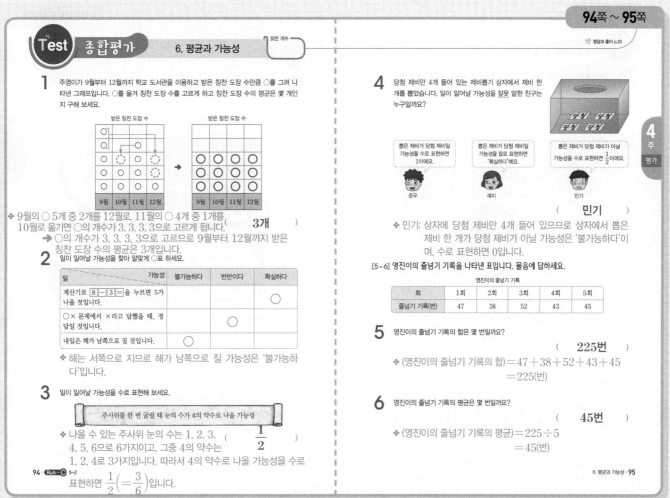

Test 종합평가 6. 평균과 가능성

정답과 풀이 p.24

7 다음 카드 중에서 한 장을 뽑을 때 ★ 카드를 뽑을 가능성을 수로 표현해 보세요.

★ ♥ ★ ♣ ★ ★ ♥ ♣

($\dfrac{1}{2}$)

✦ 카드 8장 중 ★ 카드가 4장이므로 한 장을 뽑을 때 ★ 카드를 뽑을 가능성은 '반반이다'이며 수로 표현하면 $\dfrac{1}{2}\left(=\dfrac{4}{8}\right)$입니다.

8 서현이네 학교 5학년 학생들이 현장 체험 학습을 가기 위해 버스에 탔습니다. 7대의 버스에 탄 학생 수가 모두 182명일 때 버스 한 대에 탄 학생 수의 평균은 몇 명일까요?

(**26명**)

✦ (버스 한 대에 탄 학생 수의 평균)=182÷7=26(명)

[9~10] 민수네 모둠의 100 m 달리기 기록을 나타낸 표입니다. 100 m 달리기 기록의 평균이 13초일 때 물음에 답하세요.

민수네 모둠의 100 m 달리기 기록

이름	민수	동호	혜미	진영	채민
기록(초)	14	15	12		13

9 민수네 모둠의 100 m 달리기 기록의 합은 몇 초일까요?

(**65초**)

✦ (민수네 모둠의 100 m 달리기 기록의 합)=13×5=65(초)

10 진영이의 100 m 달리기 기록은 몇 초일까요?

(**11초**)

✦ (진영이의 기록)=65-(14+15+12+13)=11(초)

11 영서가 하루에 마신 우유의 양의 평균은 280 mL입니다. 영서가 일주일 동안 마신 우유의 양은 모두 몇 mL일까요?

(**1960 mL**)

✦ 일주일은 7일이므로 영서가 일주일 동안 마신 우유의 양은 모두 280×7=1960 (mL)입니다.

12 회전판에서 화살이 초록색에 멈출 가능성이 높은 것부터 순서대로 기호를 써 보세요.

가   나   다   라

(**라, 가, 나, 다**)

✦ 초록색 부분이 넓을수록 회전판에서 화살이 초록색에 멈출 가능성이 높습니다.

[13~14] 현기네 모둠 학생들의 멀리 던지기 기록을 나타낸 표입니다. 물음에 답하세요.

현기네 모둠의 멀리 던지기 기록

	1회	2회	3회	4회
현기	34 m	27 m	34 m	37 m
지원	35 m	37 m	26 m	26 m
나래	30 m	41 m	25 m	24 m

13 학생들의 멀리 던지기 기록의 평균을 각각 구해 보세요.

현기 (**33 m**), 지원 (**31 m**), 나래 (**30 m**)

✦ ・현기: (34+27+34+37)÷4=132÷4=33 (m)
・지원: (35+37+26+26)÷4=124÷4=31 (m)
・나래: (30+41+25+24)÷4=120÷4=30 (m)

14 멀리 던지기 기록의 평균이 가장 좋은 학생은 누구일까요?

(**현기**)

✦ 33 m>31 m>30 m이므로 기록이 가장 좋은 학생은 현기입니다.

Test 종합평가 6. 평균과 가능성

정답과 풀이 p.24

15 보미의 국어, 수학, 사회 세 과목의 점수의 평균은 94점이고, 과학 점수는 90점입니다. 네 과목의 점수의 평균은 몇 점일까요?

(**93점**)

✦ (세 과목의 점수의 합)=94×3=282(점)
➡ (네 과목의 점수의 평균)=(282+90)÷4=372÷4=93(점)

16 조건 에 알맞은 회전판이 되도록 색칠해 보세요. (단, 경계선에 멈추는 경우는 생각하지 않습니다.)

조건
・화살이 노란색에 멈출 가능성이 가장 높습니다.
・화살이 파란색에 멈출 가능성은 빨간색에 멈출 가능성의 4배입니다.

✦ 화살이 노란색에 멈출 가능성이 가장 높으므로 회전판에서 가장 넓은 곳에 노란색을 색칠합니다.

화살이 파란색에 멈출 가능성이 빨간색에 멈출 가능성의 4배이므로 가장 좁은 부분에 빨간색을 색칠하고, 빨간색을 색칠한 부분보다 4배 넓은 부분에 파란색을 색칠합니다.

17 준호네 모둠과 연우네 어제 독서 시간을 나타낸 표입니다. 어느 모둠의 독서 시간의 평균이 몇 분 더 긴지 차례로 구해 보세요.

준호네 모둠의 독서 시간

이름	준호	은우	지훈	민호
독서 시간(분)	45	38	63	34

연우네 모둠의 독서 시간

이름	연우	지아	종빈	리안	민규
독서 시간(분)	20	35	61	32	42

(**준호네 모둠**), (**7분**)

✦ (준호네 모둠의 독서 시간의 평균)
=(45+38+63+34)÷4=180÷4=45(분)
(연우네 모둠의 독서 시간의 평균)
=(20+35+61+32+42)÷5=190÷5=38(분)
➡ 준호네 모둠의 독서 시간의 평균이 45-38=7(분) 더 깁니다.

특강 창의·융합 사고력

정답과 풀이 p.24

1 현지네 학교에서 즐거운 운동회가 열렸습니다. 달리기에 참가한 모든 학생들은 회전판에 화살을 던져서 맞힌 칸에 적힌 상품을 받아갈 수 있습니다. 화살을 던져서 각 상품을 맞힐 가능성이 주사위를 한 번 굴릴 때 주어진 일이 일어날 가능성과 같도록 회전판을 알맞게 나누고 각 칸에 상품의 이름을 써넣으세요.

예

가: 주사위 눈의 수가 6 이상인 수로 나올 가능성 ········· 줄넘기 🪢
나: 주사위 눈의 수가 3의 약수로 나올 가능성 ········· 물병
다: 주사위 눈의 수가 5의 배수로 나올 가능성 ········· 필통
라: 주사위 눈의 수가 2 이하인 수로 나올 가능성 ········· 간식 🍪

(1) 주사위를 한 번 굴릴 때 일이 일어날 가능성을 각각 수로 표현해 보세요.

가 ($\dfrac{1}{6}$), 나 ($\dfrac{1}{3}$), 다 ($\dfrac{1}{6}$), 라 ($\dfrac{1}{3}$)

✦ 주사위 눈의 수는 1, 2, 3, 4, 5, 6입니다.

가: 6 이상인 수는 6이므로 가능성을 수로 표현하면 $\dfrac{1}{6}$입니다.

(2) 화살을 던졌을 때 각 상품을 맞힐 가능성을 수로 표현해 보세요.

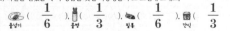

줄넘기 ($\dfrac{1}{6}$), 물병 ($\dfrac{1}{3}$), 필통 ($\dfrac{1}{6}$), 간식 ($\dfrac{1}{3}$)

(3) 회전판을 알맞게 나누고 각 칸에 상품의 이름을 써넣으세요.

나: 3의 약수는 1, 3이므로 가능성을 수로 표현하면 $\dfrac{1}{3}\left(=\dfrac{2}{6}\right)$입니다.

다: 5의 배수는 5이므로 가능성을 수로 표현하면 $\dfrac{1}{6}$입니다.

라: 2 이하인 수는 1, 2이므로 가능성을 수로 표현하면 $\dfrac{1}{3}\left(=\dfrac{2}{6}\right)$입니다.

진단부터 치료까지 유형 클리닉 ✚

닥터
유형

수학 기본을 다졌으면 이제는 유형 올킬!

진단부터 치료까지
유형 클리닉 ✚

4단계 유형 클리닉 시스템

1step	2step	3step	4step
개념별 유형 (교과서&익힘책 유형)	꼬리를 무는 유형	수학 독해력 유형	사고력 플러스 유형

수학 **5**-2

정답과 풀이

Jump

유형 사고력

Run

교과서 사고력

Start

교과서 개념